D1049145

La nuit du sacrilège

• SIX HISTOIRES D'ÉGYPTE •

Éditions Fleurus, 15/27, rue Moussorgski - 75018 Paris

Collection dirigée par Christophe Savouré
et animée par Evelyne Demey et Emmanuel Viau

Direction artistique : Danielle Capellazzi
Édition : Françoise Ancey

Dépôt légal : avril 2001
ISBN : 2 215 05179-5

Loi n° 49-956 du 16 juillet 1949 sur les publications destinées à la jeunesse.

Sommaire

La nuit du sacrilège

de Barbara Castello et Pascal Deloche
illustré par Dominique Rousseau

Un cortège de vieilles femmes au visage enduit de boue séchée hantait les couloirs du palais de Thôset. La longue mélopée de leurs lamentations s'élevait jusque dans les jardins de sycomores. Vêtues de guenilles, les pleureuses se frappaient la poitrine et la tête en signe d'affliction. Les serviteurs éplorés jetaient des poudres odoriférantes sur les brûle-parfums qui emplissaient l'air de senteurs de myrrhe. Tout, en ce jour funeste, portait l'empreinte du malheur et de la plus profonde tristesse. Thôset était passé de l'autre côté du fleuve d'Éternité et les femmes, par leurs cris, rendaient hommage au défunt.

Assis près de la mare aux cygnes, Nefrou avait du mal à contenir sa douleur. La mort brutale de son maître l'avait frappé en plein cœur. Insensible au tumulte des pleurs, il voyait sa vie se dérouler devant ses yeux, tel un papyrus. Engagé dès son plus jeune âge par Thôset en tant que simple serviteur, Nefrou avait très vite conquis la sympathie du riche marchand. Conscient de son intelligence exceptionnelle, Thôset l'avait fait initier à l'art des hiéroglyphes et nommé scribe quelques années plus tard. Sans lui, que serait-il devenu ? Un fellah[1] comme son père qui avait usé sa santé à cultiver le précieux limon du Nil ?

Bien qu'encore jeune, Nefrou avait consacré une grande partie de son existence à l'art des hiéroglyphes. Souvent, il s'amusait à dire que ses plus fidèles compagnons étaient le papyrus, le calame et son chat, Bast. Grâce à son érudition, il avait acquis le respect des hauts dignitaires et grâce à sa beauté, il s'était attiré les faveurs des plus belles femmes de Thèbes. Sa réputation avait même franchi les portes de la capitale. On venait de loin pour lui demander conseil. Mais aujourd'hui, tout cela n'avait plus la moindre saveur. Son âme était aussi grise que les eaux boueuses du fleuve en crue.

1. En Égypte, petit paysan.

Personne ne pourrait jamais remplacer Thôset. Cet homme d'exception avait fait fortune en développant le commerce sur le Nil. Sa richesse lui avait valu la bienveillance de Pharaon, Thoutmosis Ier[2]. Mais malgré sa puissance, il n'avait rien perdu de sa bonté ni de sa simplicité qui faisaient de lui un juste.

Nefrou essuya le khôl qui avait coulé sur ses joues cuivrées, puis se leva pour rejoindre Basathis, le fils de Thôset. Celui-ci lui avait demandé de régler les détails des funérailles de son père. Cette tâche honorifique était lourde à porter et Nefrou le savait. Il réajusta les plis de son pagne et franchit d'un pas leste le portique à colonnes du palais.

Basathis l'attendait dans la salle de réception dont les murs étaient ornés de somptueuses fresques florales.

– Entre, mon ami, et viens partager mon chagrin, lui dit-il en désignant un large fauteuil en bois de cèdre.

– Par Osiris tout-puissant qui pèse l'âme des ancêtres, ma peine est trop grande pour t'exprimer mon insondable tristesse.

– Je le sais. Mon père t'aimait comme un fils et tu as su le lui rendre chaque jour de sa vie. Maintenant qu'il est parti vers l'Occident des Morts,

2. Thoutmosis Ier régna durant la XVIIIe dynastie (1560-1295 av.J.-C.).

il faut que nous préparions avec soin sa dernière demeure.

– Le tombeau est achevé depuis près d'une année. Il ne demande qu'à accueillir le sarcophage et les objets funéraires, répondit Nefrou avec émotion.

– Tout a été prévu. Mon père sera entouré des biens auxquels il tenait car il doit avoir dans l'au-delà la même existence qu'il avait ici-bas. Nous ferons fabriquer des *oushebtis*[3] qui, l'heure venue, travailleront à sa place sur les terres divines. Ses plus beaux chevaux seront momifiés afin qu'il puisse chevaucher dans les Champs d'Ialou[4]. Nous ensevelirons ses coffres de pierres précieuses, ses bijoux, ses lingots de cuivre, ses meubles ornés de nacre et incrustés d'or pour qu'il mène grand train parmi les dieux.

À ces mots, Nefrou sentit une angoisse terrifiante l'étreindre. Son regard se voila et le spectre des pilleurs de tombes envahit ses pensées.

Depuis plusieurs mois, ils sévissaient dans la vallée des Rois et dans la ville des Défunts. Les mécréants défiaient les sentinelles et les pièges dressés dans les galeries des tombeaux, puis ils vidaient les caveaux de leurs trésors. Ils n'hésitaient pas à profaner les sarcophages, à arracher

3. Figurines en bois peint représentant des domestiques munis d'outils.

4. Les Champs d'Ialou, tout comme la Vaste Prairie ou l'Occident des Morts, désignent l'au-delà.

les bandelettes de lin pour voler les colliers en or, à briser les doigts pour prendre les bagues. Certains utilisaient même les momies comme petit bois pour affronter les nuits froides du désert.

Cette pensée fit frémir Nefrou. Jamais il ne pourrait supporter qu'il en fût ainsi pour son maître. Car tout le monde le savait : si les voleurs s'emparaient des biens du défunt, celui-ci serait condamné à vivre tel un simple paysan. Il serait obligé de labourer lui-même les champs appartenant aux dieux. Mais cela n'était rien au regard de la mutilation du corps momifié. Sans jambes, sans bras, il lui serait impossible de mener une vie normale dans l'au-delà. Pire, si la momie était profanée, le *kâ*, l'âme du défunt qui voyage entre le monde des morts et celui des vivants, serait condamné à errer car il ne pourrait reconnaître le corps dont il était parti. Le jeune scribe en trembla d'épouvante.

– Que se passe-t-il Nefrou ? Tu es aussi pâle que ton pagne, lui fit remarquer Basathis.

– Je suis la proie d'un abominable pressentiment. As-tu entendu parler de ces violeurs de sépultures qui sévissent à Thèbes depuis près d'une année ?

– Qui ne les connaît pas ! Ces chiens s'attaquent à nos tombeaux sans que rien ni personne ne puisse les arrêter. Ils entrent et sortent des caveaux en toute impunité. À croire qu'ils sont les fils de Seth, dieu du mal et des ténèbres.

– Il n'y a pas un instant à perdre, poursuivit Nefrou angoissé. Les nouvelles vont vite à Thèbes.

La richesse de ton père était connue et je crains que sa tombe ne soit un lieu rêvé pour ces voleurs.

– Que pouvons-nous faire ? Dois-je prévenir les *madjoy*, nos policiers chargés de surveiller la capitale ? Dois-je lever une armée pour protéger la dépouille de mon père ? Je suis prêt à donner ma fortune pour qu'il vive en paix dans l'au-delà. Tu le sais, Nefrou.

– J'en suis sûr. Mais j'ai bien peur que ces précautions ne suffisent pas. Ils sont rusés comme le fennec du désert. Je crois néanmoins que le temps joue pour nous. Mon maître vénéré est mort ce matin même et je doute que les pillards soient déjà au courant. Alors, courons dès à présent chez l'architecte qui a conçu le plan de l'hypogée[5].

– Par les quarante-deux babouins d'Osiris, je ne comprends rien à ce que tu me racontes, mon ami.

– C'est très simple pourtant, s'impatienta le scribe. Rappelle-toi que je me suis toujours piqué de résoudre des énigmes. Te souviens-tu du bijoutier de Pharaon à qui l'on avait dérobé un collier en or incrusté de saphirs et d'émeraudes destiné à la grande épouse royale ?

– Parfaitement, cette histoire fit grand bruit en son temps.

– Eh bien, j'ai démasqué le coupable qui n'était autre que le bijoutier lui-même.

– Mais je l'ignorais !

---

5. Construction souterraine chez les Égyptiens.

– Ce ne sont pas des choses dont un scribe se vante… Ceci pour te dire que ces violations de sépultures m'intriguent depuis le premier jour. J'ai analysé les moindres détails de chaque pillage. Dans tous les cas, l'architecte qui a conçu les plans du tombeau a été enlevé dans les jours suivant la mort de son client.

– Et pourquoi s'en prendre aux architectes ?

– C'est aussi limpide que l'eau de pluie. Eux seuls connaissent les labyrinthes, les chausse-trappes, les parois coulissantes, les trappes hérissées de herses qu'ils ont installés le long des galeries menant à la chambre funéraire. En enlevant ces hommes et en les torturant, les pilleurs doivent certainement se faire remettre les plans.

– Quelque chose m'échappe… fit Basathis, songeur. Pourquoi ne volent-ils pas tout simplement les papyrus contenant les plans ? Ce serait beaucoup moins risqué.

– Justement, je n'en sais rien…

À ces mots, un silence sépulcral s'abattit sur la salle de réception. Basathis, soucieux, se leva et se dirigea vers la terrasse fleurie où il se laissa tomber lourdement sur un lit de repos. Deux serviteurs se précipitèrent aussitôt armés de larges plumes d'autruche, afin de l'éventer. Nefrou savait que le fils de son maître était fragile comme le roseau. Aussi ne pouvait-il compter que sur lui-même.

– Que faut-il faire, mon bon Nefrou ? Je m'en remets entièrement à toi comme l'aurait fait mon père.

– Mets à ma disposition une litière et des hommes aux jambes robustes pour que je puisse me rendre rapidement chez Sinoufer, l'architecte. Je lui expliquerai le danger qui le menace et les ramènerai, lui et sa femme, au palais afin qu'ils soient en sécurité.

– Il en sera fait selon tes ordres.

Les porteurs serpentaient le long des ruelles thébaines avec une habileté surprenante. Les passants s'écartaient sur leur passage et ne pouvaient contenir leur admiration devant une litière si richement décorée. Nefrou, dont la modestie était l'une des qualités, était gêné par tant de faste mais il savait que Basathis avait voulu lui prêter ce qu'il possédait de plus beau.

– C'est là, cria-t-il aux serviteurs. Attendez-moi ici, je n'en ai pas pour longtemps.

Nefrou descendit et passa entre les imposantes colonnes en marbre qui marquaient l'entrée de la villa de Sinoufer. Tout, ici, respirait l'opulence et la respectabilité. Les jardins arborés, les buissons savamment taillés, les parterres de fleurs aux senteurs délicates portaient la marque de sa réussite.

En effet, Sinoufer était l'architecte le plus réputé de Thèbes. Il s'était forgé un nom grâce à son génie des labyrinthes et des pièges funéraires qu'il construisait dans les nécropoles. Les vizirs, hauts dignitaires et autres notables, hantés par la peur de la profanation, avaient fait appel à son art. C'est ainsi que l'architecte avait fait sa fortune.

Nefrou était plongé dans ses pensées, quand un gémissement attira son attention. Il tendit l'oreille et se laissa guider par cette étrange plainte. Intrigué, il contourna un bouquet de figuiers et découvrit un spectacle qui le bouleversa. L'épouse de Sinoufer était effondrée en pleurs près du bassin de nénuphars. Il courut vers elle et s'agenouilla à ses côtés. Effrayée, la femme poussa un cri d'épouvante, tout en le frappant de ses poings fermés.

– N'ayez pas peur, je suis Nefrou, le scribe de mon défunt maître Thôset, tenta-t-il pour la calmer.

La femme suspendit son geste puis se remit à sangloter. Le jeune homme nota que sa longue robe en lin fin était souillée de terre. L'ocre rouge qui rehaussait ses lèvres avait été effacée par les larmes, tandis que le noir qui lui maquillait les paupières avait coulé sur ses joues.

– Que s'est-il passé ? demanda-t-il d'une voix douce.

Elle le regarda, égarée, comme si elle sortait d'un mauvais rêve.

– Aidez-moi, je vous en supplie. Des hommes viennent d'enlever mon mari.

Cette révélation ne fit que confirmer les craintes du scribe. Très délicatement, il l'aida à se relever et l'emmena jusqu'à la terrasse où il la fit s'allonger sur un lit de jonc recouvert d'un drap brodé.

– Je crois savoir pourquoi on a enlevé votre époux, dit-il en prenant place sur un tabouret pliant.

– Les plans du tombeau, c'est cela, n'est-ce pas ? soupira-t-elle en s'essuyant les yeux.

– Oui, mais comment le savez-vous ?

– Ce matin, mon mari était inquiet car la rumeur de la mort de Thôset avait fait le tour de Thèbes. Il savait que deux de ses confrères avaient été ravis par des brigands après le décès de leur plus riche client.

– Selon vous, pourquoi les enlèvent-ils alors qu'il serait plus rapide et moins risqué de voler les plans ?

– Les grands concepteurs de tombes dessinent toujours deux plans distincts. Le premier qu'ils remettent à leur client afin que le jour de ses funérailles, sa famille puisse acheminer le sarcophage et les objets funéraires jusqu'à la chambre mortuaire. Ce document permet également aux proches de ressortir et d'activer les mécanismes mettant en place l'ensemble des pièges. Ensuite, toute personne entrant par effraction restera à jamais prisonnière du caveau.

– Et le second plan ? demanda Nefrou.

– Celui-ci est tenu secret car il contient les informations nécessaires pour déjouer les obstacles dressés le long du labyrinthe. Personne ne le connaît sauf l'architecte et son client. Mais si les voleurs s'en emparent, la tombe devient aussi vulnérable qu'un nouveau-né.

– Et où est-il ?

– Dans la tête de mon mari ! Après avoir obtenu l'agrément de son client, il détruit systématiquement le précieux papyrus afin d'éviter que d'éventuels brigands ne le dérobent. Voilà pourquoi il a été enlevé. Lui seul connaît les secrets du tombeau. Ces monstres vont le torturer jusqu'à ce qu'il révèle tout. Mais je le connais mieux que personne. Il préfèrera mourir plutôt que d'avouer.

– Alertons la police de Thèbes, décida le scribe. Nous disposons de soixante-dix jours pour retrouver votre époux, le temps que les embaumeurs momifient le corps de mon maître. Les voleurs agiront uniquement lorsque le sarcophage et les biens de Thôset seront placés au cœur de sa dernière demeure.

– Que les dieux vous entendent, Nefrou.

Durant les deux mois qui suivirent la disparition de Thôset, Nefrou mena une enquête minutieuse afin de retrouver l'architecte. Il interrogea les voisins, les domestiques, les serviteurs et les collaborateurs de Sinoufer. Rien. Il ne récolta pas l'ombre d'un indice. Les ravisseurs avaient agi avec la plus grande discrétion. Cela ne fit que renforcer les convictions du scribe : il s'agissait bien d'une bande organisée.

Pour sa part, Basathis engagea à prix d'or une cinquantaine de sentinelles chargées de surveiller la tombe nuit et jour. Aucun être vivant, fût-il un lézard, ne pourrait y pénétrer sans que ses gardes ne le vissent.

Ces mesures apaisèrent l'angoisse du fils mais nullement celle de Nefrou. Il pressentait que les profanateurs attendaient leur heure pour agir. Ils avaient dû mettre à profit le temps que dure l'embaumement pour peaufiner les derniers détails de leur forfait. Mais ce qu'ils ignoraient, c'est que lui, le simple scribe, se dresserait sur leur chemin et y laisserait la vie s'il le fallait. Il l'avait juré devant Rê en remettant la dépouille de son maître aux embaumeurs de la « Belle Maison ».

Il leur avait recommandé de procéder comme s'il s'était agi de Pharaon lui-même. Aussi est-ce avec un soin minutieux qu'ils éviscérèrent le corps et le plongèrent dans un bain de natron durant plus de quarante jours. Ce fut Nefrou, en personne, qui choisit le lin des bandelettes qui entoureraient la momie de Thôset. Ce fut lui également qui sélectionna les meilleurs menuisiers afin que le mort repose dans un sarcophage digne de son rang. Il ne laissa rien au hasard pour que son maître puisse rejoindre paisiblement la Vaste Prairie sur les ailes d'Horus.

Debout devant le parvis du temple d'Amon, Nefrou était submergé par ses souvenirs où se mêlaient tristesse et rage. Mais aujourd'hui, jour des funérailles de son maître, il était tout à son chagrin. Les prêtres venaient de prononcer les phrases rituelles en fermant le couvercle du sarcophage. Ils placèrent le cercueil sur une litière et descendirent l'escalier d'honneur sous le regard affligé de Basathis et de Nefrou. Les pleureuses accompagnaient le cortège de leurs cris éplorés et se couvraient la tête de poussière tandis que les serviteurs placés derrière la litière portaient les bagages mortuaires.

Basathis avait tenu sa promesse. Les plus beaux objets, les chevaux momifiés, le mobilier, les bijoux, les coffres remplis d'or et de pierres précieuses, les vêtements, la nourriture et les *oushebtis*, allaient être ensevelis dans le cœur de la tombe.

En s'acheminant vers le Nil où les attendaient les barques funéraires, Nefrou ne put s'empêcher de repenser aux pilleurs de sépultures. Une question le tourmentait depuis plusieurs jours : quand bien même ils posséderaient le plan secret pour déjouer les pièges, comment pouvaient-ils sortir des tombeaux une fois qu'ils étaient scellés ? Plus il y réfléchissait, plus cela lui paraissait mystérieux.

– Tu as l'air songeur, remarqua Basathis en s'approchant de lui.

– Je crains que les mesures de sécurité que tu as mises en place ne servent pas à grand-chose.

– Oublions ceci le temps des funérailles, veux-tu ? Et assurons-nous plutôt que les trésors de mon père soient empilés correctement sur les navires.

– Tu as raison, répondit le scribe. Veillons à ce qu'il ne manque rien.

Finalement, les barques quittèrent le quai et descendirent le Nil sous un soleil de plomb. Les prêtres psalmodièrent des prières jusqu'au débarcadère où furent déchargés le sarcophage puis les objets funéraires. Les sentinelles s'écartèrent pour laisser passer la procession jusqu'à la rampe d'accès qui menait à l'hypogée. Là, la dernière demeure de Thôset était ouverte sur l'obscurité, telle une bouche béante.

– Nefrou, accepterais-tu que nous prenions ensemble la tête du cortège funèbre qui conduit dans les entrailles du tombeau ? lui demanda Basathis en tirant de son pagne le plan que l'architecte avait remis à son père.

– Comment pourrais-je refuser un tel honneur, murmura le scribe, la gorge nouée par l'émotion.

Les deux hommes franchirent l'enceinte de la tombe sans un mot. Les ténèbres s'écartèrent devant la flamme vacillante des torches que brandissaient les serviteurs.

Le fils du marchand et le scribe pénétrèrent dans le caveau en lisant attentivement le papyrus. Le labyrinthe était si complexe que sans le plan, il eût été impossible de s'y retrouver. Un seul faux pas et ils se perdaient dans ce dédale infernal. Les couloirs étaient tous semblables ou du moins le paraissaient-ils. Le granit s'élevait partout, implacable et menaçant.

Finalement, la procession arriva devant la chambre mortuaire. Le sarcophage fut déposé en son centre, puis on l'entoura des biens ayant appartenu au mort. Nefrou fut ému en voyant les fresques murales qui retraçaient l'existence de son maître. Au fil des murs, tout semblait revivre comme par enchantement. Les scènes de la vie quotidienne étaient fidèlement reproduites et le scribe se reconnut sur l'une d'entre elles. Il était assis près de Thôset, une tablette sur ses genoux et un calame à la main. L'effigie d'Anubis, le dieu à tête de chacal, veillait et protégeait l'entrée. Mais serait-ce suffisant ? Nefrou en doutait.

– Non, je ne peux pas laisser mon maître aux mains de ces violeurs de tombes, s'écria-t-il soudain en se tournant vers Basathis.

– Nefrou, le chagrin t'égare. Il faut que nous rentrions, maintenant.

– Fais ce que bon te semble. Moi, je reste.

– Es-tu devenu fou ?

– Non, je vais attendre les pilleurs le temps qu'il faudra. Je leur ferai payer leur sacrilège.

– C'est trop risqué, Nefrou. Comment feras-tu pour sortir puisque tu ne connais pas les pièges imaginés par Sinoufer ?

– Les voleurs, eux, les connaissent. Il me suffira de les faire parler.

– Et s'ils ne viennent pas ? suggéra le fils du marchand.

– Ils viendront, j'en suis sûr.

– C'est pure folie. Repars avec nous, ta place est parmi les vivants.

– N'insiste pas. Plus rien ne me fera changer d'avis.

Basathis se tut. Tant d'abnégation le toucha en plein cœur et l'emplit de honte à la fois. C'était à lui de veiller sur son père et non à Nefrou. Le constat était sans appel : il avait peur de mourir dans cette forteresse de granit.

– Approche, mon ami, dit-il au scribe. Prends cette bague en lapis-lazuli. Mon père me l'a offerte avant de mourir. Elle te portera chance.

Nefrou la prit, l'embrassa et la mit à son pouce.

– Je te la restituerai dès que je sortirai d'ici, affirma-t-il avec un pâle sourire.

– J'y compte bien ! Tiens, je te donne également ma dague[6]. Tu en auras peut-être besoin.

– Merci. Pars à présent et ne te retourne pas.

Basathis s'exécuta. Suivi de la cohorte des serviteurs et des prêtres, il rebroussa chemin en s'aidant du plan. Arrivé près de la sortie du tombeau, il poussa un long soupir, puis actionna la manette en bronze qui activait les pièges. En sortant, le soleil sur sa peau le ramena à la vie. Mais ses pensées allaient vers Nefrou.

– Fermez l'entrée, hurla-t-il.

Des pierres s'abattirent dans un grondement lugubre et assourdissant. La tombe était scellée pour l'éternité.

Nefrou n'avait plus aucune notion du temps. Combien de clepsydres[7] s'étaient écoulées depuis le départ de Basathis ? Une, cent, mille ? Il ne savait

6. Poignard à lame mince et très pointue.
7. Récipients gradués contenant de l'eau qui la laisse s'échapper par un trou. C'est ainsi que, pendant des millénaires, l'on a mesuré le temps.

plus. La torche qu'on lui avait laissée s'était consumée depuis longtemps. Assis sur les dalles glaciales en granit, il était seul à affronter le noir. Peu à peu un doute effroyable l'assaillit. « Et si je m'étais trompé ? pensa-t-il subitement. Et si les pilleurs ne venaient pas ? »

La mort flottait autour de lui. « Bientôt ce sera mon tour, mais je n'irai pas dans la Vaste Prairie car je ne serai pas momifié… Il faut que je bouge sinon je vais devenir fou. »

Il se leva, commença à marcher pour se réchauffer quand un choc sourd le fit tressaillir. Instinctivement, il se jeta à plat ventre et rampa pour se cacher derrière un coffre.

« Est-ce le *kâ* qui souhaite s'échapper du corps de mon maître ? » se demanda-t-il soudain. Si tel était le cas, il n'avait rien à craindre. Mais sans doute s'agissait-il de Nephtys, la déesse de la mort. Un frisson d'épouvante s'empara de lui lorsqu'un second craquement résonna dans le tombeau. Intrigué et alarmé à la fois, il se redressa sans faire de bruit. Mais la pénombre était telle qu'il ne pouvait voir quoi que ce soit.

« Il faut que j'en aie le cœur net. Ce n'est probablement qu'un rat. »

Il s'apprêtait à sortir de sa cachette quand des voix surgies de nulle part le clouèrent au sol. Au début, ce ne fut qu'un murmure qui, peu à peu, alla en s'amplifiant. Nefrou n'osait bouger de crainte de se trahir. « Par Isis et Osiris, on dirait des voix de femmes. »

Soudain, la flamme d'une lampe à huile jaillit des ténèbres. L'ombre des *oushebtis* se mit à danser sur les murs. Avec mille précautions, le scribe passa la tête au-dessus du coffre puis s'accroupit aussitôt. Ce qu'il venait de voir le stupéfia. Il n'en croyait pas ses yeux. Face à lui deux jeunes femmes venaient de sortir de deux sarcophages dans lesquels les chevaux de Thôset étaient sensés reposer à tout jamais. Fines comme des lianes, elles portaient des pagnes d'homme et leur poitrine était ceinte de lin. Leurs cheveux étaient soigneusement tressés. Pas une mèche ne dépassait. Nefrou, tenaillé par la curiosité, se pencha davantage. Il fut alors frappé par leur ressemblance.

« Des sœurs... » songea-t-il.

Il nota que la plus âgée portait un stylet à la ceinture.

– La prochaine fois, nous demanderons au menuisier de percer des trous plus importants dans le bois. J'ai bien cru que j'allais mourir étouffée, lança la cadette.

– D'autant que nous l'avons grassement payé, répondit l'autre en sortant un sac en toile du cercueil.

Nefrou commençait à comprendre leur stratagème. Les deux femmes s'achetaient la complicité des menuisiers, des embaumeurs, voire des serviteurs de l'architecte. Ces derniers étaient très habiles car ils n'avaient rien laissé paraître lors des interrogatoires serrés auxquels Nefrou les avait soumis. Ensuite, le moment venu, les sœurs pou-

vaient se glisser dans les sarcophages et pénétrer en toute impunité dans le tombeau. C'était extrêmement astucieux. Elles n'avaient plus qu'à sortir avec leur butin en suivant le plan extorqué de force au malheureux architecte.

Soudain, la voix d'une des filles le tira de sa réflexion.

– Dépêchons-nous, car nous devons quitter les lieux avant le lever du jour.

– Occupe-toi de la jarre. Moi, je me charge du coffre.

– Ne prenons que les biens de grande valeur, confirma la plus jeune. Autrement, nous serons trop chargées pour rejoindre la sortie. N'oublie pas que l'architecte nous a précisé que le labyrinthe était très long.

– Il était coriace celui-là, s'exclama l'aînée. La seule chose qui l'ait fait parler, c'est lorsqu'on l'a menacé de le jeter dans la mare aux crocodiles !

Les complices se mirent à rire bruyamment tout en pillant consciencieusement les trésors de Thôset.

– Tii, ma petite sœur, qui aurait pu imaginer que nous, les esclaves, enlevées à nos parents dès notre plus jeune âge là-bas, de l'autre côté du désert, nous allions devenir les femmes les plus riches de Thèbes, jubila-t-elle en faisant glisser des saphirs et des émeraudes entre ses doigts.

– Personne, sauf toi et moi, chère Merit. Te souviens-tu que nous rêvions déjà de vengeance quand nous étions enfants...

Nefrou enrageait de voir ainsi les biens de son

maître disparaître dans la besace des voleuses. Il n'avait plus un instant à perdre. Il devait agir vite et bien. Il s'en voulait de ne pas avoir élaboré un plan d'attaque. Mais tout s'était passé si rapidement ! Comment allait-il faire pour arrêter les pilleuses ? Il était seul, elles étaient deux. Il était armé, elles aussi. Le scribe se mit alors à réfléchir à toute vitesse.

« Si je les attaque de front, elles réussiront à m'échapper et je resterai prisonnier de la nécropole », pensa-t-il. Impuissant, il les regardait dévaliser le tombeau du riche marchand. « Il faut que je me calme, se sermonna-t-il. Je peux leur faire croire que je suis aussi un pilleur de tombe et leur demander de partager le butin avec moi. Non, non... C'est stupide ! Pourquoi accepteraient-elles ? Elles préféreront mourir ou me tuer plutôt que de partager. »

Nefrou aurait aimé se lever et marcher de long en large comme il en avait l'habitude pour se concentrer. Mais là, il était condamné à l'immobilité et le temps passait avec une rapidité vertigineuse. Il remarqua avec effroi que les sacs des jeunes femmes étaient presque pleins, ce qui signifiait qu'elles n'allaient pas tarder à sortir de la chambre mortuaire.

« Il ne me reste qu'une option, la plus risquée mais la plus judicieuse : les suivre à distance, finit-il par décider. Je marcherai dans leurs pas afin de contourner les obstacles. » Mais il sentait que s'il les perdait de vue ou si elles le démasquaient, c'en serait fini de lui.

Le cœur battant, il tenta de rassembler tout son courage et sa lucidité. Il n'avait pas droit à l'erreur. Le moindre faux pas lui serait fatal. Aussi allait-il devoir être léger comme l'air, souple comme le roseau et transparent comme l'eau du Nil pour se rendre invisible.

– Il est temps de partir, ordonna la plus âgée. Nous sommes plus chargées que des mules.

Nefrou, tapi derrière son meuble, observait les deux sœurs en retenant son souffle. L'aînée lisait le plan tandis que la cadette tenait la lampe à huile afin d'éclairer le précieux papyrus.

– Prenons la première galerie à droite. Sois prudente car ce Sinoufer est diabolique.

Le pouls du scribe s'accéléra quand il les vit disparaître dans la pénombre. Il fallait qu'il sorte de là au plus vite. Il compta jusqu'à dix et s'élança à pas de loup sur les traces des profanatrices. Courbé en deux, il n'était qu'à quelques mètres d'elles et il constata avec soulagement qu'elles n'avaient pas encore remarqué sa présence.

– Attention, la dalle sur ta gauche, s'écria Merit en pointant du doigt une chausse-trappe hérissée de herses.

À ces mots, le jeune homme sentit un faible espoir renaître. En effet, tout laissait à penser que l'aînée indiquerait oralement à sa sœur chaque obstacle à déjouer, chaque direction à emprunter. Ainsi pourrait-il savoir exactement où poser les pieds.

Au fil des corridors, des couloirs et des galeries, Nefrou comprit pourquoi son maître avait fait appel à Sinoufer. Cet homme était un génie. Pour protéger la chambre mortuaire, il avait constellé le labyrinthe de murs coulissants, de trompe-l'œil, de trappes grouillant de serpents, de dalles qu'il suffisait d'effleurer pour déclencher un éboulis de pierres. Chaque morceau de granit était un défi à la vie.

Brusquement, Merit s'arrêta devant un mur sur lequel avait été dessinée une porte surmontée de hiéroglyphes.

– C'est là, lança-t-elle. Passe-moi le levier qui est dans ton sac.

Tii s'exécuta sans un mot. Nefrou, resté légèrement en retrait, s'était accroupi derrière une colonne en granit et tentait désespérément de lire ce qui était inscrit sur la paroi. « *Ici s'ouvre le Chemin*... parvint-il à déchiffrer. C'est incroyable ! Comment n'y ai-je pas pensé plus tôt ? Tout s'explique maintenant ! »

En effet, le dessin qui se trouvait face à lui symbolisait la porte par laquelle le *kâ* du défunt pouvait aller et venir. Chaque architecte prévoyait une issue pour permettre à l'âme de voyager entre la terre et l'au-delà. En se faisant indiquer ce passage secret, les voleuses pouvaient sortir en prenant garde de ne pas se faire remarquer des sentinelles.

Effaré par ses propres déductions, il observait les gestes de Merit. Celle-ci avait passé une sorte de pieux dans un mince interstice puis avait fait levier très doucement. Quatre blocs de pierre basculèrent alors à la base de la porte du tombeau. Nefrou sentit la fraîcheur de la nuit lui caresser la peau. Il lui fallait agir très vite car ces diablesses allaient certainement refermer le passage derrière elles.

Jamais, en raison de son éducation et de sa fonction, il n'avait fait usage d'une arme. Mais seule cette solution s'imposait. Il inspira un grand coup et dégaina la dague que lui avait offerte Basathis puis se précipita sur la sœur cadette qui était la plus proche de lui.

– Ne bouge pas, hurla-t-il soudain à l'intention de l'aînée. Au moindre geste, j'égorge ta sœur.

Il savait naturellement qu'il n'en ferait rien, mais Merit, elle, l'ignorait.

– Tu nous a suivies, fils de chien ! Toi aussi, tu es un pilleur de tombe, laissa-t-elle tomber avec dégoût.

– Non, je ne suis rien de tout cela. Je suis Nefrou, scribe de Thôset, l'homme dont vous venez de piller le tombeau.

Sûre d'elle, la jeune femme le dévisagea et lui dit avec mépris :

– Partageons et quittons-nous au plus vite.

– Je crois que tu ne m'as pas compris. Je suis là pour que vous remettiez chaque objet à sa place afin que mon maître repose en paix.

– Jamais. Plutôt mourir, lui lança-t-elle au visage.

– Tu veux donc que je tue ta sœur, cria-t-il en s'efforçant de paraître menaçant. Je n'hésiterai pas à lui trancher la gorge.

La malheureuse Tii tremblait de tous ses membres. Des larmes commençaient à perler à la lisière de ses cils. Cela n'échappa pas à Merit.

– Très bien, capitula-t-elle à contrecœur. Lâche Tii et nous irons remettre les objets où nous les avons trouvés.

– Pas question, tu y vas seule. Moi, je reste ici avec ta sœur.

– Je ne pourrai pas tout transporter moi-même.

– Tu feras plusieurs voyages s'il le faut. Nous avons une grande partie de la nuit devant nous.

Nefrou la regarda s'éloigner avec le plan dans une main, la lampe à huile dans l'autre et la besace en bandoulière. Comme convenu, la jeune femme fit deux aller et retour sans dire un mot. Quand elle revint les sacs vides, elle avait l'air épuisée.

– J'ai respecté les termes de ton marché, dit-elle

en se plantant devant lui. Libère ma sœur et nous serons quittes.

– Pas si vite ! Tu n'imagines pas que vous allez vous en tirer à si bon compte. Tu oublies les architectes. Qu'en avez-vous fait ?

– Mon homme de mari les garde prisonniers sur une île du Nil.

Nefrou n'avait pas envisagé cette éventualité. Il fallait qu'il trouve une solution pour les faire libérer le plus rapidement possible.

– Voilà ce que je te propose, annonça-t-il enfin. Je renonce à vous livrer aux autorités. Mais à trois conditions : que vous relâchiez vos prisonniers, que vous restituiez les biens que vous avez volés et que vous disparaissiez définitivement de la région. Naturellement, je garderai ta sœur en otage le temps qu'il faudra.

– Ça jamais ! s'écria l'aînée.

– Très bien ! répliqua-t-il calmement. Je vais donc être obligé de livrer ta sœur aux gardes qui patrouillent dehors.

Nefrou fit mine de se diriger vers le trou béant tout en ceinturant Tii, effondrée en sanglots.

– Non, attends, s'écria Merit. Tu as gagné. Je ferai ce que tu m'as demandé. Mais qui me dit que tu ne nous tends pas un piège ?

– Je n'ai qu'une parole. Fais ce que je t'ai ordonné et je libérerai ta sœur immédiatement. Pars maintenant et prends garde à ce que les sentinelles ne te voient pas.

– N'aie crainte, petite sœur, tout sera terminé

avant demain soir, lança-t-elle en disparaissant dans la nuit.

Un doux zéphyr caressait la terrasse où Basathis et Nefrou déjeunaient.

– Nefrou, je te félicite. Vraiment, tu ne cesseras de m'étonner, s'exclama le fils de Thôset en découpant une tranche de pain au miel. Mais une question me brûle les lèvres…

– Je t'écoute, lui répondit le scribe.

– Pourquoi n'as-tu pas abandonné ces scélérates à mes sentinelles ? Ces hommes les auraient torturées afin de leur faire avouer où elles cachaient leurs prisonniers, puis ils les auraient livrées à la police.

– Je ne regrette pas mon geste car elles ont tenu leur promesse. Les biens ont été restitués aux familles des défunts et les architectes ont été relâchés. Ces malheureuses voulaient prendre une revanche sur la vie en pillant les tombeaux des plus riches. Je pense qu'elles ont bien retenu la leçon et qu'elles sont loin désormais.

– Tu es un sage, mon ami.

– Non, j'ai agi comme l'aurait certainement fait ton père. Tiens, je te rends sa bague, dit Nefrou en enlevant l'anneau de son pouce.

– Garde-la, tu la mérites plus que moi. Car en mourant, mon père a gagné un fils.

La Pyramide s'amuse

d'Emmanuel Viau
illustré par Bruno Bazile

- 1 -

Il faisait chaud et la pluie tardait toujours à venir : depuis trois mois, et malgré les prières des prêtres d'Amon-Rê, le ciel restait désespérément bleu.

De la terrasse de son grand palais qui surplombait le Nil, le pharaon Hemtonfis II se désolait. Il voyait chaque jour la vie de son peuple devenir plus difficile. Le niveau du fleuve baissait et en même temps que lui, les récoltes s'amenuisaient. Les éleveurs s'agaçaient, les pêcheurs pestaient, les commerçants médisaient et tous, soldats, mendiants ou esclaves, du plus riche au plus pauvre, tournaient un regard souvent chargé de colère vers l'édifice royal, avec ses belles fontaines et ses jardins ombragés.

– Coupe l'eau des fontaines, ordonna Hemtonfis à son vizir.

L'homme, grand et maigre, s'inclina respectueusement.

– Dois-je faire couper les arbres et arracher les fleurs, ô Pharaon ?

Hemtonfis II ne releva pas. Il avait l'habitude de ce genre de remarques même parmi ses serviteurs les plus proches. Après tout, n'était-ce pas lui qui, à la mort de son père, avait en premier lieu veillé à ce que l'humour soit reconnu comme trait de caractère du peuple égyptien ?

– L'humour, oui, mais pas l'insolence, soupira le pharaon.

Hemtonfis avait passé son enfance dans l'obscurité des cryptes à révérer des dieux solennels et terribles sous la direction de religieux plus terribles encore, à écrire dans la pierre sous une chaleur poussiéreuse, à apprendre les choses militaires, économiques et scientifiques, enfin tout ce que doit maîtriser un futur pharaon, pour devenir… euh, pharaon, justement.

Aux yeux du jeune garçon, il ne manquait qu'une chose à cet enseignement : le rire, le jeu, l'amusement, le futile… bref, la légèreté.

Un jour qu'il en parlait à son père, celui-ci, très

digne, lui avait répondu de sa voix la plus redoutable, celle qu'il prenait lorsqu'il faisait jeter quelqu'un aux crocodiles :

– Mon fils, un pharaon ne rit pas.

« Non, un pharaon… et ron et ron petit patapon ! » pensa Hemtonfis Junior et ce mauvais jeu de mots le fit sourire, sourire tant et si bien qu'il éclata de rire.

Son père, qui n'avait pas terminé sa phrase, crut que son insolent de fils se moquait de lui. Il devint rouge de colère et l'envoya purger une punition de trente jours seul dans le désert, avec juste une gourde en peau de chèvre remplie d'eau salée.

Lorsqu'il en revint, Hemtonfis, au bord de la mort, avait compris deux choses : la première, c'était que ses jeux de mots devaient s'améliorer. La deuxième, qu'un pharaon manquait décidément trop d'humour et que cela changerait sous son règne.

Et là, alors qu'il regardait son pays s'assécher, Hemtonfis se dit que rien n'avait changé, malgré ses directives. Tout au plus avait-il permis à l'insolence de s'immiscer dans les propos des esclaves et des serviteurs.

Dans les rues de la capitale et des autres villes, sur les dunes écrasées par le soleil, on ne riait pas plus qu'il ne le fallait, vu que la vie en ces temps-là n'était pas forcément très drôle.

– Il manque à ce pays un grand projet, murmura-t-il, pendant que le vizir debout à ses côtés mimait un profond ennui en poussant des soupirs du genre : « Bon, le pharaon, il a encore besoin de moi ou je peux disposer ? »

Hemtonfis II, une fois encore, ne remarqua pas son impatience. Son cœur se mit à battre un peu plus fort tandis qu'une idée audacieuse germait dans son esprit.

Oui, un projet extraordinaire, une entreprise si fameuse que son nom resterait gravé à jamais dans la pierre, dût-elle rester enfouie dans les sables de l'éternité. Il esquissa un sourire. Mais oui ! C'est cela, un projet colossal qui mobiliserait toute l'attention – et les services – du peuple !

Rasséréné, il se tourna vers son Premier ministre qui, cette fois sifflotait imperceptiblement sur l'air de « Quand tu veux, Pharaon, quand tu veux ! »

– Dis-moi, vizir...

– Oui, grand Pharaon ?

– Tu vas commencer par annuler l'ordre que je viens de te donner.

Le haut dignitaire leva les yeux au ciel :

– Majesté, ce n'est pas drôle, je viens juste de faire couper l'eau...

– Puis tu me convoqueras immédiatement notre architecte royal...

– Oh non, c'est à l'autre bout de la...

– ... et ensuite tu te jetteras dans le bassin sacré !

Le vizir marqua un temps d'arrêt, cessa ses gestes insolents et étudia le visage du pharaon. Puis il éclata de rire.

– Ah ! Ah ! Sacré Hemtonfis, j'ai bien cru un instant que…

– Si tu ne te jettes pas toi-même dans le bassin, je vous y fais jeter toi et ta famille, tes amis, tes affaires, ta maison et tes voisins !

Le ministre redoubla d'hilarité qui bientôt se transforma en un rictus étranglé.

– Mais… mais le bassin est rempli de crocodiles !

– Évidemment, que crois-tu ? Que j'ai rempli le bassin sacré de papillons, de lait et de miel ? Allez, il suffit maintenant, fais ce que tu as à faire.

Derrière les deux hommes, les gardes royaux qui suivaient la scène essayaient d'étouffer la crise de fou rire qui les gagnait. Le pharaon leur sourit tranquillement :

– Quant à vous, vous êtes mutés à Hekbala, à la frontière sud. Vous verrez, les sauvages mangeurs de chair humaine y rigolent bien aussi.

Puis d'un claquement de doigts, le maître de l'Égypte envoya tout ce beau monde disposer.

Un peu plus tard, un petit homme rond, essoufflé et l'air inquiet, apparut, courbé, respectueux, rampant.

– Ô grand Dieu, maître des rois ! Ô sublime Hemtonfis, tu m'as demandé ? J'accours !

Le pharaon soupira. Il n'aimait pas particulièrement Akhâton. Mais le fait est que le père de ce personnage servile avait travaillé sous les ordres du père d'Hemtonfis et qu'il avait fini dans la gueule des crocodiles. Ainsi que le père de son père et le père du père de son père et le père du… bon, bref.

Pendant que l'architecte royal essayait de multiples façons de saluer son souverain, se répandant en formules insensées – « Ô maître des dieux-rois », etc. –, Hemtonfis l'étudiait en se demandant si Akhâton finirait lui aussi dans la gueule des monstres sacrés du Nil. Le pharaon se reprit : finalement, cela ne dépendrait que de lui-même.

– Akhâton, je veux que tu imagines quelque chose de grand, quelque chose qui fera tourner les yeux du monde entier vers l'Égypte, qui fera oublier la sécheresse à notre peuple, et qui restera à jamais gravé dans l'histoire. Je te donne tous les moyens dont tu auras besoin, que ce soit de l'or, de l'argent ou des esclaves.

Il fit un aparté et baissa légèrement le ton :

– Bon, si tu veux déclencher une guerre, parle-m'en avant, ça se prépare un peu.

Puis d'une voix de stentor, il continua :

– Je veux ce projet et VITE. Ah, bien sûr, je t'interdis de me parler de pyramide, de colosse, de sciences, d'art, d'architecture, de système de poulie ou de levage, de… enfin, rien de SÉRIEUX. J'exige quelque chose d'A-MU-SANT. C'est bien compris ?

À bout de souffle après cette longue tirade, Hemtonfis jeta un coup d'œil à Akhâton. L'homme n'était plus qu'une crêpe sur le sol et le pharaon ne voulut pas en rajouter : il n'évoqua pas les crocodiles.

– C'est clair ?

– Euh, oui, maître…

– Alors pourquoi es-tu encore ici ? Je veux ce projet avant que la lune ne soit pleine, compris ?

Mais Akhâton n'était déjà plus là.

- 2 -

Chez lui, dans sa vaste demeure à l'ombre des palmiers, Akhâton désespérait. « Quelque chose de grand, d'éternel, qui ferait que les Romains, les Grecs et les Barbares s'inclinent avec respect devant l'Égypte. Et quelque chose qui soit *amusant* ! Ce pharaon est… fou ! »

Il avait prononcé ce dernier mot à voix basse. Les serviteurs aimaient bien rendre service à plus puissant que leur maître en rapportant des paroles déplacées.

Depuis deux jours et deux nuits, il réfléchissait au problème sans trouver de solution. « Pas d'art, ni d'architecture, ni de sciences, ni… rien ! Ô dieux, aidez-moi, faites que je ne finisse pas comme mon père, mon grand-père et tous mes ancêtres. »

Il avait consulté le vizir – juste avant que celui-ci ne se jette dans la forêt de gueules ouvertes du bassin sacré –, les grands prêtres, les savants astrologues… Chacun, à sa manière, lui avait suggéré des projets mirifiques : qui des véhicules capables d'avancer sans avoir à être tirés ni poussés par des animaux, qui des temples démentiels plantés au cœur du désert avec chants d'adoration, qui des véhicules – encore ! – pouvant voyager jusqu'aux astres scintillants de la nuit, et d'autres projets d'aménagement du désert en champ de blé... Tout cela n'était pas drôle ni amusant, pour peu qu'on puisse le réaliser.

– Papa, tu joues avec moi ?

Rhonton, le fils d'Akhâton, se tenait là devant le bureau paternel croulant sous les rouleaux de papyrus. « Pauvre petit bonhomme, pensa l'architecte, dire que toi aussi tu finiras sans doute dans le ventre d'un crocodile. »

Il se mit à observer attentivement le garçon. Celui-ci tenait dans ses mains deux poupées à l'effigie des dieux. L'une avait une tête de rat, la deuxième figurait un dieu serpent. L'enfant les faisait se bagarrer l'une contre l'autre. Puis il projeta l'un des dieux, celui à tête de rat, au fond de la pièce. Lâchant le dieu victorieux qui avait réussi à éjecter le rat, Rhonton se dirigea vers la malheureuse divinité et consacra tous ses efforts à la ramener à la vie. Sous les yeux médusés de son père, le garçon fit traverser le désert à la poupée-rat. Par la suite, cette dernière triompha de créatures imaginaires diverses, affronta des armées titanesques, parcourut des océans inconnus. Blessée, défigurée, fatiguée au-delà de l'imaginable, elle fut encore confrontée à des dizaines d'épreuves atroces. Pour terminer, le dieu-rat se retrouva face à son ennemi, le dieu-serpent. Par la voix de Rhonton, il déclara :

– Me voilà, tête de nœud, revenu de l'enfer pour te donner la leçon que tu mérites.

Et la bagarre de recommencer.

Les yeux ronds, la bouche bée, radieux, Akhâton tomba en extase.

– Ah, mon fils ! Tu es de la famille des génies, de ceux qui ont édifié ce royaume. Grâce à toi, nous vaincrons peut-être la malédiction des crocodiles.

Puis l'architecte fit sortir l'enfant de la pièce et se mit à écrire furieusement. Il tenait enfin son idée.

- 3 -

La lune montait, pleine et fière, au firmament.

C'était une nuit magnifique.

Un seul homme ne partageait pas cette opinion : Akhâton, l'architecte. Depuis plus d'une heure, seul face au pharaon, à sa femme Hélébis, à ses guépards, à ses gardes, à ses serviteurs et aux plus hauts dignitaires du royaume, il tentait d'expliquer son projet. Les bruits qui provenaient de l'extérieur, du bassin sacré précisément, ne l'aidaient pas dans cette tâche. Pour le moment, le pharaon fronçait les sourcils.

– Je t'avais bien précisé : pas de pyramide...

– Maître, ce ne sera qu'un décor ! Si nous allons jusqu'au bout de mon idée, l'image de la pyramide, symbole de la puissance de notre pays, sera changée à jamais pour devenir celle de l'amusement et de la récréation.

Une nouvelle fois, Akhâton reprit la description minutieuse de son plan. Pour simplifier, il s'agissait d'un jeu s'inspirant à la fois des olympiades grecques et des jeux du cirque façon romaine. Dans une pyramide, en solo ou en équipe, des hommes – volontaires, soldats ou esclaves – affronteraient une série d'épreuves du genre terrible, avant de se mesurer entre eux. Le vainqueur – ou le survivant – gagnerait une récompense royale devant une assistance triée sur le volet, confortablement installée dans des gradins spécialement aménagés dans la pyramide. Akhâton conclut enfin :

– Les candidats porteront les masques et les attributs de nos dieux. Ainsi, nous allierons amusement et tradition, culture et euh… humour, car certaines épreuves feront beaucoup rire… voilà, quoi.

Il y eut un silence pesant.

Les guépards sacrés bâillaient, la reine s'était assoupie, les dignitaires tentaient de garder les paupières ouvertes, cherchant désespérément une plaisanterie pour se mettre en valeur aux yeux du pharaon. Quant à celui-ci, il tentait de rester calme. En effet, un rang aussi important que le sien exige de ne pas montrer trop d'émotion devant ses inférieurs.

C'était chose difficile car il était réellement enthousiasmé par l'idée de son architecte. Des jeux ! Penser à mêler culture et religion aux épreuves, n'était-ce pas tout simplement génial ? Les jeux grecs célébraient le corps et les valeurs du cœur, les jeux romains célébraient le... euh, enfin bon, la barbarie, la débauche, la violence. Les jeux égyptiens, eux, seraient dédiés à la fois au corps, au cœur, à l'esprit, à l'âme. Des jeux mythiques...

Le pharaon exultait à tel point qu'il eut du mal à prononcer les mots suivants :

– Ton idée est géni... intéressante. Je suis un peu déçu, mais tu ne seras pas jeté aux crocodiles. Pas pour l'instant en tout cas. Je te charge de la réalisation de ce projet. Quand penses-tu avoir fini ?

Là, Akhâton paniqua car il n'avait absolument pas pensé à la réalisation pratique de son plan. Bredouillant, il improvisa une réponse :

– Eh bien, quand tu le souhaiteras, ô Pharaon...

Hemtonfis éclata de rire.

– Sacré Akhâton, tu trouves toujours le moyen de me louer et de faire de l'humour en même temps ! Il redevint sérieux : Après-demain ?

Akhâton tenta de rire lui aussi.

– Ah, ah, Phara... euh, je dirais plutôt, dans un an, à la même pleine lune ?

Mais le pharaon ne l'écoutait plus. Il se voyait déjà recevoir les plus fameux dignitaires étrangers dans *sa* pyramide des jeux. Il les imaginait le souffle coupé par l'héroïsme et les prouesses des candidats, rendre grâce à l'esprit « fun » et inventif des Égyptiens. Il acquiesça, l'air absent :

– Un an, Akhâton, pas un jour de plus.

- 4 -

Longtemps avant la naissance des hommes sur Terre, longtemps même avant l'apparition de la matière vivante sur la planète bleue, vivaient – c'est une façon de parler – des êtres venus d'autres dimensions, d'autres univers.

« Des êtres » est sans doute un grand mot, car ils ne possédaient pas de corps. Disons plutôt des esprits aux pouvoirs gigantesques. Ils étaient là, devisant, se battant pour rire, rêvassant, prenant la vie du bon côté, regardant les pluies de météorites soulever des gigatonnes de terre et de lave, les volcans recouvrir de leurs projections des millions de kilomètres carrés...

En résumé, ils assistèrent à la création de la Terre.

Le temps passa et ces esprits entrèrent dans une période de sommeil et rien, pas même les dinosaures ni les angoisses des hommes préhistoriques, ne put les tirer de leur divin repos. Ils se trouvaient là, endormis un peu partout sur la planète, et personne ne pouvait les voir... N'empêche qu'on sentait leur présence. Inconsciemment, les humains leur rendirent hommage en leur consacrant des cultes. Les êtres venus d'ailleurs furent nommés Odin, Zeus, Jupiter, Rê, Ongawa... et on les révéra comme des dieux.

Akhâton n'eut pas de chance.

Le site qu'il choisit pour édifier sa pyramide,

non loin du Nil et de la belle Alexandrie, tomba au cœur du lieu où se reposaient quelques-uns de ces esprits. Lesquels finirent évidemment par se réveiller.

Ce fut un travail gigantesque et Akhâton dut réquisitionner des milliers d'hommes pour le mener à bien. Esclaves, soldats, mendiants, architectes, spécialistes divers, maîtres d'ouvrage, scribes, peintres... tous les métiers de l'Empire participèrent aux travaux de la Pyramide des Jeux.

Akhâton perdit quelques kilos dans cette entreprise, car il devait superviser pratiquement chaque étape, de la sélection des pierres destinées à la construction jusqu'à la façon de les sceller. Il délégua cependant une bonne partie de l'édification de la pyramide, somme toute assez classique, à des subordonnés.

Sa grande tâche à lui, c'était le labyrinthe et les pièges qui le composaient.

Cet immense dédale s'étendait sur une cinquantaine de kilomètres de long et sur une dizaine de niveaux. Akhâton fit creuser des bassins, des tunnels, des sous-bassins, des sous-tunnels, des vrais culs-de-sac, des faux culs-de-sac. Il ordonna que l'on mette en place des herses à détente rapide, des pieux à détente lente, des catapultes à eau et à huile bouillantes, des avalanches de pierre, de boue et de sable. Il fit remplir les fosses de crocodiles et de serpents, les jarres d'araignées et de scorpions, les salles d'éléphants et de lions, et les galeries de hyènes et de chacals. Il conçut des épreuves de force, d'adresse, d'intelligence, de rapidité et de concentration.

Pour finir, l'architecte truffa le labyrinthe de farces et attrapes destinées à faire rire les spectateurs, et à faire courir les candidats. Sur ce point, il garda un silence absolu et eut recours à des hommes de confiance, qu'il fit jeter dans le Nil par la suite, pour s'assurer qu'aucune fuite ne viendrait gâcher ses effets de surprise, le jour venu. Pour résumer, Akhâton avait tout prévu.

Sauf une chose.

Les esprits étaient maintenant bien réveillés. Par un beau matin, un an après l'entrevue d'Akhâton avec le pharaon, alors que les ouvriers et leurs maîtres, fiers de leur travail accompli, contemplaient ce qu'ils avaient construit en si peu de temps – et avec un taux de mortalité plutôt bas –, les esprits investirent subrepticement la pyramide.

Ce qu'ils y découvrirent les mit en joie.

- 5 -

Hemtonfis était déçu et il le fit savoir à son architecte. Entourés par l'élite des soldats d'Égypte, les deux hommes se tenaient au pied de la Pyramide des Jeux.

– Je suis déçu, Akhâton. Cette pyramide est si… petite !

Malgré lui, l'architecte s'offusqua :

– Maître, attends de voir l'intérieur ! Ne juge point l'apparence, mais le contenu !

À vrai dire, la construction ne payait pas de mine. Moins haute que la plupart des pyramides de taille moyenne du pays, elle n'était ni décorée ni même peinte.

– Et puis, Rome ne s'est pas faite en un jour. Nous n'avons eu qu'un an, ô Pharaon, je la peaufinerai…

Akhâton fit un signe et les soldats amenèrent une dizaine d'esclaves désignés pour être volontaires dans le test des épreuves. Pharaon et son architecte, l'épouse royale et quelques hauts dignitaires entrèrent dans la pyramide par un tunnel sombre qui allait s'agrandissant jusqu'aux gradins. Ceux-ci étaient recouverts de fourrures et de tapis, agrémentés de mets divins, et baignés de mille senteurs parfumées.

Akhâton expliqua les grandes lignes de son idée :

– Nous assisterons aux premières compétitions ici. Pour la suite, il nous faudra monter sur des chevaux pour rejoindre d'autres gradins. En tout, il y a dix salles d'observation qui offrent, comme tu pourras le constater, des points de vue incomparables sur les candidats en pleine action.

La suite impériale s'installa et les dix concurrents pénétrèrent dans le labyrinthe. Trompettes et tambours firent résonner les pierres fraîchement taillées et les Jeux de la Pyramide, version 1.0, commencèrent.

Cinq heures plus tard, le royal public émergea de la pyramide en clignant des yeux. Dehors, la chaleur et la clarté du soleil étaient terrifiantes.

– Ma-gis-tral ! Fa-bu-leux ! Akhâton, tu es un génie ! Et je fais la promesse solennelle que, quelles que soient tes prochaines erreurs, tu ne finiras pas dans le bassin sacré. Et cela vaut aussi pour tes descendants. Pour l'instant, je vais te couvrir d'or.

Le pharaon et ses invités étaient littéralement enthousiastes. Akhâton exultait intérieurement. Les spectateurs avaient ri, tremblé, encouragé, hurlé, tapé des mains, ri encore, fermé les yeux, émis des « oh » et des « ah ». Ils avaient été stupéfaits, horrifiés, amusés, décoiffés, à tel point qu'ils n'avaient pas touché une miette du festin préparé par les cuisiniers.

Les jeux avaient fonctionné au-delà des espérances de l'architecte. Il venait de gagner l'estime de Hemtonfis et il avait vaincu la malédiction de sa famille. Pourtant, au fond de lui, il sentait un petit doute le tenailler.

Deux épreuves n'avaient pas eu lieu. Une autre ne s'était absolument pas déroulée comme prévu. Et surtout, plusieurs compétitions, de haut niveau et de fort belle facture, avaient été ajoutées. Comment cela était-il possible, puisqu'il était le seul concepteur de cette pyramide ? Rejetant ses sombres pensées, il savoura sa victoire et le soir même, dormit du meilleur sommeil de son existence.

Dans la pyramide, parmi les cadavres des candidats et de quelques animaux, les êtres immatériels commentaient ce qu'ils venaient de vivre. Ils se disaient déçus. Alors, ils se remirent au travail pour améliorer tout ça.

- 6 -

Les émissaires de Hemtonfis II parcoururent la Méditerranée de long en large. Certains n'arrivèrent jamais, d'autres dans un tel état qu'ils ne se souvenaient plus du message du pharaon d'Égypte.

Mais dans l'ensemble, toutes les grandes figures des grands pays de cette grande époque reçurent l'invitation d'Hemtonfis : Eonidas de Sparte, Nérolus de Rome, Othrace d'Athènes, Tirnolus de Carthage, Exemir de Perse, Gawinoa de Womba... Dictateurs, rois, gouverneurs, philosophes, généraux, chefs ou bien empereurs, furent conviés aux Jeux. Une trentaine d'éminents hommes d'État en tout répondirent présents. Les routes d'Égypte résonnèrent bientôt du bruit des sandales et des bottes de milliers d'illustres étrangers accompagnés de leurs escortes militaires.

– Grâce à moi, l'Égypte est aujourd'hui au centre du monde. Et grâce à moi, le monde est aujourd'hui en paix. Regarde toutes ces armées ! La moitié d'entre elles se détestent et pourtant elles sont là, pacifiques, à attendre l'ouverture de la pyramide.

Hemtonfis était ivre de sa gloire. Sur la terrasse royale, il s'apprêtait à recevoir un à un les dignitaires du monde antique. Aucun pharaon avant lui n'avait réussi ce tour de force, même en se servant de la force, justement.

Kiphis, le nouveau vizir, s'inclina devant son seigneur :

– Il faut dire, majesté, que tu n'y as pas été de main morte dans ton invitation ! Les mots « ultime défi », « jeu du millénaire », « grandeur égyptienne » ne pouvaient pas laisser tant de personnalités indifférentes. Quant à la récompense, elle suffirait à réveiller les morts !

Akhâton avait suggéré à Hemtonfis d'organiser les Jeux sur le modèle des olympiades grecques. Chacune des délégations devait désigner son champion pour qu'il affronte ses adversaires dans la pyramide. Le gagnant se verrait offrir le titre de gouverneur de la province égyptienne située à la frontière du pays des sauvages mangeurs d'hommes, ajoutant ainsi au caractère sportif, culturel et religieux des Jeux, un aspect politique.

Voilà qui expliquait sans doute pourquoi les étrangers avaient répondu si nombreux à l'invitation : obtenir un petit territoire jouxtant l'empire d'Égypte, sans rien débourser ni même guerroyer, était une véritable aubaine.

– Euh… ô noble Pharaon !

C'était Akhâton qui arrivait, l'air mal à l'aise.

– Ah, fidèle architecte, viens près de nous ! Et sois remercié de ton dur labeur qui…

Akhâton interrompit le pharaon, ce qui irrita légèrement celui-ci :

– Maître, pourrions-nous repousser de quelques jours la date des Jeux ?

Hemtonfis sourit :

– Allons, Akhâton, tu t'inquiètes, je le comprends bien. C'est aussi ton heure de gloire, il est normal que tu sois nerveux. Reprends-toi, ta pyra… *ma* pyramide enchantera mes invités. Tout se passera bien.

– Ô divin roi, pardonne mon insistance mais…

Le pharaon, qui jusqu'ici avait usé d'un ton plutôt paternel, fut cette fois plus sec.

– Il suffit ! Tu me vois, moi, pharaon d'Égypte, annoncer à mes invités que le grand jour est repoussé ? Voudrais-tu qu'ils considèrent que je manque à ma parole ? Voudrais-tu *m'humilier* aux yeux du monde entier ?

La voix de Hemtonfis vibrait de colère.

– Non, maître. Je voulais juste vérifier que… tout allait bien.

– Vérifie donc ce que tu veux pour que tout soit effectivement parfait à l'ouverture des Jeux, demain à l'aube. N'oublie pas que je pourrais oublier certaine promesse faite…

« Que tout soit parfait. » Tel était le cauchemar d'Akhâton depuis quelque temps. Après plusieurs rapports alarmants des soldats chargés de garder la pyramide, il s'était lui-même rendu sur le site l'avant-veille. Sur le coup, il était resté sans voix.

Au matin du grand jour, le peuple s'était rassemblé sur la route menant à la Pyramide des Jeux. Une à une, les délégations étrangères, vêtues de leurs plus beaux atours, s'engagèrent sur la route impériale, chacune au son de sa propre musique. Il en résultait une certaine cacophonie et de nombreux accrochages mais dans l'ensemble, les Égyptiens vécurent cette matinée comme un événement sans précédent.

En tête de chaque cortège, marchait le champion qui représentait son pays. C'étaient plutôt des guerriers même si les Grecs, par exemple, avaient élu un marathonien, vainqueur de l'épreuve lors des derniers Jeux. Le champion viking obtint les faveurs du public. Recouvert de fourrure d'ours, et ce malgré la chaleur, il faisait deux fois la taille du plus grand des guerriers présents, un Spartiate à l'air peu engageant.

Le pharaon, fier, radieux, exultant, conduisait la troupe. Il avait tenu à ce qu'Akhâton soit à ses côtés sur son char. Tout en saluant son peuple, il s'inclina vers son architecte pour lui murmurer :

– J'espère que tout est prêt et qu'il n'y aura pas de fausse note. Si cette journée n'est pas un succès, je t'enferme dans une cage avec un chacal et un serpent, je te fais piétiner par les éléphants et je jette ce qui reste aux crocodiles.

C'était la quinzième phrase de ce genre depuis le départ et Akhâton finissait par ne plus rien ressentir. Il attendait juste que cela soit terminé et qu'il soit enfin dévoré dans le ventre des monstres du Nil.

– Oui, Pharaon, tout est prêt.

« … Sauf que je ne sais pas comment entrer dans la pyramide », pensa-t-il. L'ironie de la chose le fit presque rire. Lui, le concepteur de l'édifice, ne savait pas où était passée l'entrée, ni même qui avait condamné la porte, et pourquoi.

Les esprits avaient bien œuvré. Pour l'instant, ils se reposaient, grands corps immatériels, dans l'ombre des tunnels et des pièges des Jeux. Leur influence quasi magique qui, les premiers temps, avait rendu fous de terreur les animaux, s'étendait désormais jusqu'au moindre petit caillou de la pyramide.

– Waouh ! Mais enfin, Akhâton ! Qu'as-tu fait ?

Le pharaon n'en revenait pas.

Là, dans ce lieu désertique où se dressait la pyramide quatre mois auparavant lors du test, resplendissait maintenant une magnifique oasis, plantée de palmiers flamboyants aux dattes irréelles. Une herbe verte au regard et douce au pied courait jusqu'à la base de la construction.

– Ce n'est même pas la saison des dattes !

Hemtonfis serrait convulsivement le bras d'Akhâton qui, lui, ne disait rien. De toute façon, plus rien ne pouvait étonner l'architecte.

– Et... et la pyramide ! Elle a changé de taille, non ? Par Isis, Akhâton, en si peu de temps mais... tu es GÉNIAL !

Le pharaon avait abandonné toute idée de retenue. Ce qu'il voyait là était plus beau que tout le royaume d'Égypte réuni. Il avait gardé le souvenir d'un bâtiment plutôt petit, sans couleur. Aujourd'hui, ce même bâtiment était plus haut que la plus haute des pyramides. Il rayonnait de mille couleurs chatoyantes, dont certaines, Hemtonfis en était sûr, n'avaient jamais été utilisées en Égypte. C'était massif, impressionnant, élégant... magnifique !

Le pharaon se retourna. Derrière lui, les dirigeants des pays du monde entier s'étaient rassemblés et chacun se ravissait de ce décor paradisiaque.

Akhâton sentit la panique le gagner. « Bon, il va falloir y aller maintenant. Ils vont me demander de les conduire à l'intérieur. Et même si nous parvenons à entrer, il n'y a rien à manger. Je ne sais même pas si les animaux sont encore vivants, pensa-t-il. Mais par tous les dieux, qui peut être responsable de ce prodige ? Les dieux ? »

Hemtonfis le héla :

– C'est toi le maître des lieux ici. Veux-tu nous conduire ? Si tu as autant travaillé à l'intérieur qu'à l'extérieur, nous risquons d'avoir mal aux yeux !

Il rit et sa plaisanterie fit rire les dignitaires étrangers, du moins ceux qui comprenaient la langue égyptienne.

– Nous y voilà…

Le cœur serré, Akhâton allait annoncer qu'il ne savait pas comment pénétrer dans la fabuleuse construction.

– Pharaon, j'ai essayé de te préve…

À cet instant, un roulement sourd et inquiétant se propagea sous le sol, et gagna en intensité jusqu'au moment où l'on entendit clairement un « clic » sonore. Tout s'arrêta alors, les chants d'oiseau, les conversations, le souffle du vent et même le bruit des dattes en train de pousser.

Là-haut, le cône de la pyramide s'ouvrit lentement, comme par enchantement. Un tapis rouge, incrusté de diamants, jaillit de l'ouverture telle une langue, et descendit jusqu'au pharaon pour l'inviter à gravir les marches qui menaient au sommet de la pyramide. Le digne public, terrassé par l'émotion, explosa en vivats et en applaudissements. Hemtonfis, stupéfait, jeta un regard chargé de crainte et de respect vers Akhâton. « Cet homme est un vrai magicien. Il est trop puissant, je vais devoir le jeter aux crocodiles », songea Pharaon.

Puis il avança et toute la troupe – champions, rois, chefs, ambassadeurs et épouses – gravit les marches. Lorsqu'elle fut entrée, le cône de la pyramide se referma avec le même « clic » sonore.

- 7 -

La pente semblait ne jamais vouloir prendre fin. L'espace d'un instant, Hemtonfis se dit que l'éprouvante ascension sous la chaleur suivie de cette interminable descente finiraient par avoir raison de la patience de ses hôtes. Mais non, les chefs d'État & épouses, concubines, maîtresses + champions paraissaient se plaire et commentaient allègrement ce qu'ils voyaient.

Hemtonfis II resta abasourdi par le changement intervenu dans les sombres tunnels de la pyramide. L'unique fois où il était venu en ces lieux, tout baignait dans une quasi-obscurité. Les murs avaient la couleur des pierres et le sol était poussiéreux. On avait l'impression à présent d'être dans un palais. Une lueur irréelle émanait de la roche elle-même, baignant les visiteurs dans une clarté bleue.

L'architecte marchait en tête. Son esprit oscillait entre terreur sacrée et confusion mentale. Cet état fut aggravé lorsqu'ils s'installèrent dans les gradins. Parmi les somptueux coussins, sur des tables de marbre rutilant, un fantastique repas avait été servi. Mais par qui ? Les larmes perlaient sous les paupières d'Akhâton.

Le premier geste des nobles personnages fut de faire bombance et le pharaon reçut encore nombre de compliments sur l'organisation de ces olympiades.

Sous la direction d'un Akhâton totalement hébété, les maîtres des Jeux firent descendre les vingt-huit champions dans le labyrinthe. Peu à peu le silence s'installa, tandis que les personnalités, rassasiées, ouvraient grand leurs yeux.

Akhâton et Hemtonfis avaient rêvé de musique, de défilés, de célébrations dantesques pour la cérémonie d'ouverture. Mais dans leur confusion, tout fut oublié. Alors, le pharaon dit seulement :

– Ben… que les Jeux, euh… commencent !

Ce qui manquait furieusement de grandiose pour les Premiers Jeux de la Pyramide de l'Histoire de l'Égypte ! Ce détail n'eut guère d'importance, car l'instant d'après, les maîtres des Jeux actionnèrent les mécanismes de deux larges portes. Au début, il n'y eut qu'un mince filet d'eau. Puis brusquement, un violent flot, mélange d'eau et de sable, jaillit. Les vingt-huit candidats n'eurent pas le temps d'être surpris. Ils furent balayés par l'inondation et répartis au hasard dans les méandres du labyrinthe.

– Les cartes ont été mélangées et distribuées, que le meilleur gagne ! tonna le pharaon.

Les invités éclatèrent de rire, applaudirent et se mirent à encourager leur champion… Il y eut alors un grand souffle et chacun sentit passer sur lui un courant d'air chargé d'étranges parfums. Lorsque les athlètes se relevèrent, ils n'étaient plus exactement les mêmes. Le cruel représentant de l'Est découvrit une nouvelle vigueur envahir ses membres, le Romain sentit ses muscles gagner en force… Le cœur du Grec se fit plus puissant, l'intelligence du Spartiate s'approfondit, les cheveux du Viking prirent une vingtaine de centimètres supplémentaires... Tous virent leur apparence se modifier, leurs sens s'affiner, leurs forces s'accroître. Après avoir investi la pyramide, les dieux avaient simplement décidé de s'incarner dans ces beaux et puissants jeunes hommes.

On allait enfin s'amuser.

La première épreuve – une traversée de sable chauffé à blanc et d'épines empoisonnées – fut la seule à ne pas avoir été modifiée par les esprits. Elle fut rapidement oubliée au profit des suivantes. Devant une assistance médusée, une pluie de scorpions s'abattit d'abord sur la tête et le dos des candidats, suivie de peu d'une belle averse d'araignées, puis d'une avalanche de serpents royaux. Le Jeu gagna en intensité quand des éléphants furieux jaillirent comme par magie des murs du labyrinthe pour charger les champions. Lorsque des crocodiles monstrueux se mirent à tomber du plafond, lorsque, enfin, des pieuvres géantes émergèrent du sable, le silence stupéfait des spectateurs explosa en acclamations mi-terrifiées, mi-excitées.

Hemtonfis fermait les yeux. C'était un cauchemar. Oubliées les épreuves d'adresse et de finesse ! Disparues les compétitions d'orientation, les énigmes qui devaient mesurer la bravoure et l'intelligence ! Qu'avait déclenché Akhâton ? Pourquoi avait-il modifié les Jeux par rapport à la première fois ? La pyramide n'était plus qu'un gigantesque capharnaüm, rempli de cris, de rugissements, de vagissements.

Bazile

Le public éberlué vit soudain une cohorte de squelettes à tête de requins se répandre dans les couloirs du dédale. La confusion atteignit son comble. Champions – tous étaient encore en vie, miracle ! –, morts vivants et animaux se jetèrent dans une furieuse danse guerrière. Et lorsque la poussière du combat retomba enfin, il ne restait plus que… les vingt-huit athlètes, indemnes, riants, à peine essoufflés.

Parmi les invités du pharaon, ce fut alors le délire ! Les gorges étaient enrouées à force de hurler de rire et de terreur, mais tous trouvèrent les ressources nécessaires pour continuer à crier des encouragements. Pendant ce bref moment de flottement, Pharaon se glissa près de son architecte. Il bégayait de fureur :

– Tu es mort, architecte. Mort, mort et mort. Je vais te…

Il dut s'interrompre car la dernière épreuve venait de débuter. Les candidats se faisaient face. De ce combat-ci, un seul survivrait. « Normalement… », pensa Akhâton que plus rien n'étonnait. Il était subjugué par ce qu'il venait de contempler.

Ce n'était rien comparé à ce qui allait suivre.

Les dieux présents dans les corps des combattants avaient jeté leurs armes tranchantes, préférant s'affronter à mains nues. Des gifles, des ouragans de baffes, des tornades de coups de pieds et de poings déferlèrent, transformant les corps à corps en un fabuleux ballet de guerre. Le tout était asséné avec une vitesse et une force prodigieuses qui allaient croissant.

Bientôt, les spectateurs n'aperçurent plus qu'un brouillard parcouru de corps qui s'envolaient jusqu'au plafond, traversaient les murs, s'enfonçaient dans le sol. Difficile, dans ces conditions, de dire quel champion avait l'avantage.

Épuisé, lassé, humilié, le pharaon se laissa aller en arrière. Il essayait de se concentrer pour trouver une mort suffisamment insoutenable pour Akhâton. Nérolus, le Romain, l'attrapa par le bras. Ses yeux brillaient d'excitation et il était à bout de souffle à force de rire :

– Ah, Hemtonfis ! Quels moments nous fais-tu passer là ! C'est... c'est grandiose !

Othrace, le Grec, surenchérit :

– Ah vraiment, on peut dire que vous avez de la chance, vous autres Égyptiens !

Hemtonfis les regarda, un peu étonné :

– Grandiose ? De la chance, nous ? Que voulez-vous dire ?

Ce fut Exemir, le Perse, qui répondit :

– Vous ne vous rendez pas compte de votre bonheur. Vos dieux sont tellement... amusants ! Inventifs ! Ce qu'ils ont réussi à faire de votre pyramide, quelle classe !

Il s'interrompit et se baissa juste à temps pour éviter que le corps du Spartiate ne lui rase la tête. Ils se retournèrent et virent le malheureux guerrier s'écraser contre le mur. Celui-ci se releva instantanément, un sourire joyeux aux lèvres. D'un bond, il fut de nouveau dans l'arène. Le public applaudit et le Grec prit la parole :

– Tu as raison, Romain. Ces dieux savent rire, eux. Quand je pense à Athena, ce qu'elle est ennuyeuse…

– On voit que vous n'avez jamais eu affaire à Mars ou même à Jupiter. Ils sont si… graves, si nobles, si… Ah, on ne peut pas dire qu'on rigole beaucoup en compagnie de Vulcain !

Bjïrk, le Viking, entra à son tour dans le chœur des lamentations :

– Odin est un gros emm… Il nous fait même boire dans les crânes de nos ennemis pour lui rendre grâce !

Hemtonfis n'écoutait plus la conversation. Il regarda pensivement Akhâton qui se morfondait dans un coin. Petit à petit, la vérité se faisait dans son esprit. Ainsi, c'étaient les dieux égyptiens qui étaient les responsables. Il maudit son aveuglement et sa bêtise. Toute sa vie, il avait recherché le secret du rire, de l'amusement.

Alors qu'ils étaient là depuis toujours, il n'avait pas pensé à les solliciter. Et il était le seul en ce bas monde à ignorer les pouvoirs des dieux. Il en eut honte, mais ce sentiment passa vite. Une immense crise d'hilarité le gagna. C'était si bon. Le pharaon Hemtonfis II se détendit et profita enfin du spectacle. Et pour la première fois de sa vie, il rit de bon cœur.

- 8 -

– Je suis désolé, Akhâton, j'ai douté de toi. Sans ton projet pourtant, rien de ceci n'aurait été possible. Le peuple acclame mon nom et le tien…

– En fait, Pharaon, c'est grâce à mon fils. J'ai eu cette idée en l'observant. Je suis parti d'un jeu d'enfant, incroyable, non ?

– Rhonton sera dix fois recouvert d'or. Ses sœurs aussi, toi, tes voisins et leurs descendants. Akhâton, te rends-tu compte que le monde a les yeux tournés vers nous ? Enfin, vers nos dieux, mais n'est-ce pas la même chose ?

L'architecte ne répondit pas. En silence, les deux hommes contemplaient la pyramide.

Pour l'instant, elle tournait sur son axe, comme une toupie, son sommet planté dans le sol. Auparavant, elle avait effectué toute une série de petits bonds avant de s'élever haut dans le ciel et de retomber la tête en bas. Depuis, elle tournait et de plus en plus vite.

À l'intérieur, les dieux n'avaient pas fini de s'amuser.

Cléopâtre, la reine-pharaon[1]

de Marie Bertherat
illustré par Marc Bourgne

– Quand ? Mais quand ? s'énerve la jeune femme qui fait les cent pas dans les couloirs du palais d'Alexandrie.

Elle a dix-sept ans, les jambes fuselées, le teint mat et le nez long. Elle s'appelle Cléopâtre et l'impatience la gagne. L'aube pointe à peine, mais elle est déjà levée depuis plus d'une heure et n'en peut plus d'attendre que sa vie change.

1. L'histoire est basée sur des faits réels. L'auteur a cependant choisi d'interpréter librement certains événements de la vie de Cléopâtre. Les noms des personnages et quelques dates historiques ont pu ainsi être modifiés.

Bientôt, elle sera reine d'Égypte, l'un des pays les plus riches du monde. Son père, Ptolémée XII, le roi-pharaon, vient de mourir. Elle est sa fille aînée et doit lui succéder, telle est la loi de la dynastie des Ptolémées en l'an 51 avant Jésus-Christ. Elle doit lui succéder, mais quand ?

– Iras ! Charmion !

L'appel de Cléopâtre résonne dans le palais. Les pas feutrés des deux fidèles servantes glissent sur les tapis de soie d'Orient.

– Pardonnez-nous, maîtresse, il est si tôt... Nous ne pensions pas que vous étiez éveillée, s'excuse Iras.

– Je ne pouvais pas dormir, j'en ai assez, j'ai besoin...

– De nos soins ! conclut Charmion qui connaît la princesse depuis qu'elle est née dans la salle rouge[2] du palais d'Alexandrie.

Dans la salle de bains de marbre rose et de grenat, qui jouxte la chambre de Cléopâtre, Iras râpe en hâte des morceaux de bois parfumé. Charmion ajoute de l'eau, malaxe le tout. Se forme une pâte épaisse à l'odeur exquise. La servante l'étale sur le corps nu de Cléopâtre qui ronchonne :

– C'est froid !

– Calmez-vous, princesse ! Il faut souffrir pour être belle, ne vous l'ai-je pas déjà répété cent fois ?

2. Pièce située dans l'appartement des femmes du palais.

Enfin, la pâte est sèche. Iras, d'une main experte, frotte la peau, épluche l'enduit. Charmion rince à l'eau tiède le corps maintenant doux comme un pétale de lotus.

Puis elle masse les épaules et le dos couleur d'ambre. L'huile parfume et satine la peau de Cléopâtre qui ferme les yeux et enfin se détend. Pour un peu, elle s'endormirait sur ce lit tendu de cuir rouge, doucement bercée par les mains de Charmion.

Iras en profite pour déposer sur la chevelure bouclée le henné qui décolore. Depuis longtemps, la princesse préfère le blond-roux à son brun naturel. Le temps que le décolorant agisse, les servantes observent en silence leur maîtresse.

– N'est-elle pas magnifique ? chuchote Charmion.

– La plus belle de toutes, renchérit à voix basse Iras, qui devine ses pensées.

– Même son nez, un peu long, ajoute à son charme, tu ne trouves pas ?

Celui des deux servantes, doté de larges narines, est plutôt plat, comme celui de la plupart des Égyptiennes. Cléopâtre, au contraire, a le nez fin et long. Ses ancêtres, les pharaons de la dynastie Ptolémée, sont d'origine grecque et non égyptienne. Mais dans la famille royale se mêle aussi du sang perse[3], nubien[4], africain. C'est à ces nom-

3. Région de l'Iran actuel.
4. Région du sud de l'Égypte, à la frontière du Soudan.

breuses alliances que la jeune femme doit sa peau sombre, ses cheveux bouclés, son profil et peut-être aussi son étrange beauté.

– Maîtresse, je dois rincer vos cheveux, réveillez-vous !

Elle s'était assoupie finalement.

– Ils sont superbes, princesse ! s'enthousiasme Charmion.

Avec la rapidité due à une longue habitude, elle brosse et natte les mèches en une douzaine de tresses, puis réclame :

– Les épingles d'or !

Iras les présente, une à une, tandis que Charmion rassemble les nattes pour les relever en un lourd chignon qu'elle dresse en forme de haut cône au sommet de la tête de Cléopâtre.

– Magnifique ! s'extasient les servantes.

– Cela suffit ! Laissez-moi seule !

– Mais enfin, vous êtes nue ! s'exclame Charmion.

– Et le visage ? Le maquillage ? s'inquiète Iras.

– Plus tard ! Sortez d'ici !

La voix est impatiente, irritée. Cléopâtre veut voir la mer qui scintille sous les premiers rayons du soleil. L'étendue bleue l'apaise. Elle aime cette Méditerranée qui s'ouvre sur le monde. Elle aime aussi l'immense tour de Pharos, rutilante de marbre blanc, qui se dresse à l'ouest du port. La nuit, ses feux puissants guident les marins égarés jusqu'à cinquante-cinq kilomètres à la ronde.

Un vent frais soulève le lourd rideau de soie

sauvage de la fenêtre ouverte et fait frissonner la princesse dénudée qui, pour avoir plus chaud, s'enroule dans le tissu.

– Combien de temps ? Combien de temps devrai-je encore attendre ?

La princesse est prête depuis longtemps. Elle a tout pour être reine, Cléopâtre la septième du nom. Elle a reçu l'éducation des filles de pharaons destinées à régner : la meilleure de toutes. Elle était enfant quand son père, Ptolémée XII, l'a confiée à quatre savants, les plus grands du royaume : Sosigène, Philodote, Comarios et Demetrios. Leur joie fut immense de découvrir une petite fille à l'esprit si vif et si curieux. D'eux, elle apprit la géométrie, l'arithmétique, l'astronomie, la médecine mais aussi l'art de la guerre, le dessin, la musique, la lyre à sept cordes, le chant. Chaque jour, ils l'entraînaient à la Bibliothèque fondée par Ptolémée Ier. La plus riche bibliothèque du monde : sept cent mille livres rassemblés ! La dynastie des Lagides[5] a toujours encouragé la culture. Cléopâtre a lu les grands poètes grecs et romains. Elle a appris les langues étrangères et parle tous les dialectes d'Alexandrie la cosmopolite : l'arabe, l'araméen, l'hébreu, le parthe, le grec, le latin et la langue des Troglodytes… Oui, Cléopâtre possède tous les dons. Elle le sait bien. Mais quand sera-t-elle reine, à la fin ?

---

5. Autre nom de la dynastie des Ptolémées.

– Charmion ? Encore toi ! Je t'avais pourtant prévenue…

– Maîtresse ! Maîtresse ! Demetrios est à la porte de votre chambre, il vous demande.

– Demetrios ? Mon cher vieux maître ! Mais pourquoi ?

La servante sourit :

– Aucune idée, mais vous ne pouvez pas le recevoir dans cette tenue.

– Pas le temps de m'habiller, dresse le paravent, je me cacherai derrière. Allez, dépêche-toi !

Le vieux sage entre à pas lents, car depuis un an, sa jambe gauche l'abandonne. La voix derrière le paravent l'appelle :

– Approche Demetrios ! Tu voulais me parler ?

– Et te voir, princesse… s'amuse le vieillard.

– Parle, je t'en prie ! Si tu es venu avec ta jambe malade, c'est sûrement important…

– Cléopâtre, tu connais la loi des Ptolémées, n'est-ce pas ?

– Laquelle ?

– Celle qui hante ton esprit nuit et jour depuis la mort de ton père, répond Demetrios, ironique.

– Tu veux dire celle qui stipule que la fille aînée des Ptolémées règnera à la mort de son père !

– Oui. Et la suite, tu la connais ?

– Je la déteste, s'énerve Cléopâtre.

– La fille aînée épousera son frère et partagera le pouvoir avec lui, récite l'homme.

– Comment pourrais-je épouser mon frère, ce gamin d'à peine douze ans ? Tu n'es tout de même pas venu ici pour me rappeler cette stupide loi !

– Non, je suis là pour t'annoncer une bonne nouvelle. Le grand prêtre Ouseros t'accorde un sursis.

– Un sursis ?

– Deux ans. Demain, tu épouses ton frère et deviens reine, mais tu as deux ans pour consommer le mariage.

– Cela signifie que pendant deux années je ne serai pas obligée de partager son lit ?

– C'est déjà ça de pris, non ? sourit Demetrios.

– Et personne ne le saura ?

– Personne, à part Ouseros, toi, moi et le gamin. Le peuple d'Égypte croira à un vrai mariage et vous honorera comme de vrais époux-pharaons ainsi que le veut l'ancestrale loi lagide.

– Tu as dit demain ?

– Demain matin, au temple de Serapeum.

– Mais pourquoi le grand prêtre m'accorde-t-il cette faveur ?

– À mon avis, ce n'est pas par bonté d'âme. Il doit avoir ses raisons. À toi de les découvrir. Sur ce point, je te fais confiance, ma Cléopâtre. Et maintenant, prépare-toi car demain, tu seras reine d'Égypte !

« Deux ans... » songe Cléopâtre en regardant la mer. En deux ans, il peut se passer bien des choses. Le gamin peut avaler un noyau de travers, glisser dans un escalier, se noyer... Tout est possible à Alexandrie, en l'an 51 avant Jésus-Christ.

– Iras ! Charmion !

– Oui, princesse ?

– Quelle robe pour un mariage ?

– Du lin blanc ! affirme Charmion.

– Si fin que votre peau paraîtra nue, glousse Iras.

– Préparez-la pour demain matin. Aux aurores !

Cléopâtre n'a pas dormi, mais qu'importe, à dix-sept ans, cela ne se voit pas. D'ailleurs, la jeune femme n'est-elle pas experte en maquillage ? Il y a peu, elle a rédigé un traité sur les produits de beauté et prépare ses fards elle-même. Charmion drape le corps souple et mince avec la robe de lin blanc, fine et douce comme la peau. Sur la hanche droite, un scarabée d'or, agrafé, maintiendra le tissu en place. Entre les bretelles brodées de pierres précieuses, les seins jaillissent, nus et ronds. Les bras, le cou, les doigts, les oreilles sont parés de bijoux précieux. La jolie tête surmontée du pesant chignon n'attend plus que la couronne d'or.

– Allons au temple ! lance Cléopâtre d'une voix ferme.

Dehors, il fait chaud et le vent qui hier rendait tout supportable est tombé brutalement. Ptolémée le treizième, assis aux côtés de sa sœur, transpire. Sur sa lèvre supérieure qui n'a jamais connu la lame du rasoir, perlent des gouttes de sueur. Le diadème, hérité de son père, est lourd et sous le poids des pierres précieuses, la pâle petite tête du prince ploie.

Cléopâtre la septième redresse fièrement la sienne. L'épais chignon d'or roux arbore la couronne en forme de serpent des reines d'Égypte. Le grand prêtre Ouseros vient d'ordonner le mariage. La foule, immense, a les yeux fixés sur sa nouvelle reine, Cléopâtre reine-pharaon.

Cléopâtre VII et Ptolémée XIII se lèvent. Le peuple d'Alexandrie acclame ses nouveaux rois-pharaons. Les liens sacrés du mariage font du frère et de la sœur des dieux. Cléopâtre est Isis, la déesse-mère qui console ; son frère-époux, Osiris, le dieu des morts. Ces souverains sont un espoir pour tous :

– Serons-nous moins pauvres ? Aurons-nous enfin de quoi manger ?

Heureusement, personne ne sait que ce mariage n'en est pas vraiment un. Sinon, nul ne croirait à un meilleur avenir pour l'Égypte. Seuls les véritables époux frère-sœur sont des dieux et seuls les dieux peuvent améliorer le sort des pauvres, pensent les Égyptiens de l'an 51 avant Jésus-Christ.

Un mois depuis que Cléopâtre est reine d'Égypte et une semaine depuis qu'elle s'est enfermée dans sa chambre. La reine a peur. Elle, qui rêvait de voir son frère glisser sur les marches du palais, se sent menacée. Il y a sept jours de cela, Iras et Charmion lui ont rapporté les bruits de couloir :

– Maîtresse, ils veulent votre mort.

– Qui ?

– Les conseillers de votre frère, Ptolémée le treizième. Et puis, votre demi-sœur, Arsinoé. Elle veut épouser Ptolémée et prendre votre place sur le trône.

Cléopâtre sait maintenant pourquoi le grand prêtre Ouseros lui a laissé du temps. Demetrios avait raison, ce n'était pas par gentillesse. Il l'a fait sur ordre des conseillers du petit roitelet. Ces hommes sont riches et puissants, très puissants. Ils ont dû promettre beaucoup d'argent au prêtre en échange de ce sursis de deux ans. Ils veulent s'assurer que la jeune femme n'aura pas d'enfants de son frère. Puis, au moment voulu, ils la tueront. Cléopâtre est inquiète. Bien sûr, elle a des amis, des savants pour la plupart, mais pas d'alliés puissants dont les poches pleines d'or pourraient acheter des prêtres ou des soldats.

– Maîtresse, quittez la ville ! supplient les fidèles servantes.

Voilà cinq jours que la reine a quitté le palais d'Alexandrie pour s'enfoncer dans le désert jusqu'aux frontières de la Syrie. La nuit est à peine tombée, mais déjà la fraîcheur descend du ciel. Sous la tente royale, plantée au milieu de la mer de sable, Charmion et Iras massent au lait de chamelle le corps courbatu de leur maîtresse.

– Combien de temps avons-nous galopé aujourd'hui ? demande Cléopâtre.

– Trop longtemps, répondent les servantes épuisées et affamées.

Quelques dattes cueillies en chemin, même longuement mâchées, n'ont pu apaiser ni leur faim ni leur soif. L'odeur de viande grillée, qui lentement se glisse sous la lourde toile, fait gargouiller leur estomac. Le délicieux fumet s'échappe de la tente des Bédouins qui les ont accueillies. Une chance inespérée !

Cléopâtre et sa petite cavalerie de cinquante hommes sont bien seules pour l'instant. La reine-pharaon n'a pas renoncé à régner. Si elle a fui, c'est pour mieux revenir. Plus forte. Debout devant la tente royale, le chef des Bédouins, au corps tatoué de bleu, attend la jeune femme aux cheveux d'or.

– J'ai besoin d'aide, explique Cléopâtre.

Et parce qu'elle est belle, courageuse et parle si bien la langue des nomades du désert, le chef répond :

– Combien d'hommes ?

– Tous tes hommes. Les conseillers de mon frère ont une armée à leur disposition, je veux les écraser !

Le soir même, la reine-déesse et l'homme tatoué de bleu partagent l'agneau rôti en signe d'alliance.

– Un messager ! Un messager venu d'Alexandrie ! s'époumone Charmion qui court, aussi vite que ses jambes le lui permettent, vers la tente royale. Derrière elle, un cavalier descendu de cheval s'avance, le visage couvert de sable.

– Parle ! ordonne Cléopâtre, intriguée.

L'homme se prosterne :

– L'*Imperator* Julius Caesar est à Alexandrie !

– Jules César, l'empereur des Romains ? L'homme qui règne sur le plus grand empire du monde ? Et pourquoi ?

– On dit qu'il veut s'offrir l'Égypte et ses richesses !

– Bien sûr…

Cléopâtre réfléchit. Vite comme d'habitude. César est sa chance : il va l'aider. Il doit l'aider. Entre elle et son frère, il choisira son camp, elle en est persuadée. Elle a des atouts pour cela : la beauté, le charme, l'intelligence, toutes choses que son frère n'a certainement pas. Elle doit voir l'*Imperator*.

La reine convoque le chef des Bédouins :

– Partons dès maintenant ! Il le faut !

On lève le camp et on galope. Les cinquante cavaliers de Cléopâtre et les trois cents Bédouins. Mais aux portes d'Alexandrie, l'armée des conseillers de Ptolémée monte la garde et les ordres des chefs sont clairs : capturer Cléopâtre morte ou vive, plutôt morte que vive.

Alors on s'arrête à distance prudente et on se cache. Comment franchir un tel barrage ? L'un des cavaliers de Cléopâtre, Apollodore le Sicilien, chuchote à l'oreille de la reine. Il a un plan. Cléopâtre approuve, elle ordonne :

– Iras ! Charmion ! Faites-moi belle !

Les mains expertes des servantes font disparaître le sable du désert et l'odeur des chevaux. Elles lavent, brossent, oignent, parfument, maquillent, habillent. Cléopâtre sera la plus belle. Sa survie en dépend.

À la nuit tombée, Apollodore étend sur l'herbe un tapis, un vieux tapis maintes fois foulé. La reine s'allonge sur les poils de laine usée. Le Sicilien enroule la plus belle femme d'Égypte. La jolie tête disparaît. L'homme ajuste les courroies.

– Pouvez-vous respirer ?

– À peine ! répond une voix étouffée.

Apollodore hisse le tapis sur ses fortes épaules tel un marchand portant sa camelote au marché. Personne ne doit voir Cléopâtre, les espions ennemis rôdent. C'est par la mer qu'ils approcheront le palais où Jules César, l'*Imperator*, s'est installé. Le Sicilien et son fardeau grimpent sur une barque. Lentement, sans faire de bruit, l'homme rame, protégé par la nuit sans lune.

Enfin, le palais ! Le Sicilien accoste et, à pas de loup, traverse les jardins qui bordent la résidence royale. Une porte entrouverte : il s'y glisse. « Tu iras dans ma chambre, lui a dit Cléopâtre lorsqu'ils ont mis au point leur plan. Au premier étage, une porte en bois sculptée incrustée de turquoises et de jaspes rouges », a-t-elle précisé.

Apollodore ne frappe pas. Il entre, dépose le vieux tapis au milieu de la pièce. La reine avait raison, Julius Caesar est là. Il est deux heures du matin, mais il ne dort pas. Sur ses épaules étroites, il a gardé sa belle cape écarlate, la cape de l'*Imperator*.

Le Sicilien défait les courroies, déroule le tapis.

Cléopâtre apparaît. D'un mouvement de tête, elle secoue les boucles de ses cheveux dorés. Ses mains, longues et fines, défroissent la tunique de lin pourpre, ajustent les bretelles qui séparent ses seins nus. Son rire fuse :

– Cléopâtre la septième, fille de Ptolémée le douzième, reine d'Égypte ! Pour vous servir...

César sourit, sous le charme. Cet homme de cinquante-deux ans, élancé, fin, élégant, qui aime les femmes et sait s'en faire aimer, n'a jamais contemplé pareille merveille.

Déjà, il l'aime. L'enlace, l'embrasse. Apollodore se retire, en silence.

Par la fenêtre ouverte, l'aube rosée caresse les deux corps endormis. Du Grand Port qui fait face au palais, des bruits montent. Un immense navire accoste, il vient d'Asie. Ses cales sont remplies de marchandises précieuses : l'ivoire lisse, la soie bariolée, les épices mystérieuses. On crie, on s'interpelle, les ordres fusent. Alexandrie s'éveille. César aussi.

– Comme tu es belle, belle comme l'aurore ! chuchote l'*Imperator* à l'oreille de la reine.

On frappe à la porte sculptée.

– Qui va là ! tonne César, agacé.

C'est Ptolémée XIII, déjà moins gringalet. N'a-t-il pas, la veille, fêté ses treize ans ? Un poil dur et brun le gratte sous le nez. Ptolémée voit la femme nue allongée sur le lit, la sœur haïe et il

devine : César, le grand, le chef de tous les Romains, est de son côté, il la protège. Le roitelet veut hurler à la trahison : pourquoi César a-t-il choisi le camp de la sœur détestée et non le sien ? Mais Ptolémée le treizième se tait. Il n'a même pas le courage de sa colère. D'un geste rageur, il jette à terre son diadème incrusté de diamants, comme un jouet qui ne plaît plus, et sort de la chambre en faisant claquer les talons de ses sandales dorées.

Chaque nuit, Jules César aime Cléopâtre l'enchanteresse aux boucles d'or, aux lèvres douces et au corps parfumé. Chaque jour, César aime Cléopâtre qui connaît les planètes, les philosophes et le chiffre zéro.

Ensemble, ils parcourent les rues de la grouillante Alexandrie : six kilomètres le long de la Méditerranée sur un kilomètre et demi de large. Une forêt de splendides monuments de marbre : le temple de Sérapion où l'on célébra le mariage de Cléopâtre la septième et du frère détesté, les théâtres, les amphithéâtres, la Bibliothèque, le Musée, incomparable centre de recherche scientifique. César interroge la reine savante sur l'ingénieux système de canaux, de citernes et de filtres qui purifie le Nil tout proche pour rendre l'eau potable.

Cléopâtre aime l'*Imperator* à cape rouge, le général romain qui a fait d'elle la seule, la vraie souveraine d'Égypte. Le Ptolémée n'est plus rien : un prisonnier en son palais.

– Qu'on le surveille, nuit et jour ! a exigé César.

Les conseillers du prince enragent. Ils abhorrent cet envahisseur qui fait la loi dans leur pays. Ils voudraient le massacrer, l'assassiner, l'empoisonner. Achillas, le plus combatif des conseillers de Ptolémée XIII, éructe :

– La guerre, on lui fera la guerre !

– Avec quelle armée ? interrogent ses amis. Les soldats d'Égypte ne veulent pas se battre contre l'*Imperator*, il est bien trop puissant.

– On prendra les esclaves, les fugitifs, les criminels, toute la racaille d'Alexandrie. Je veux vingt mille hommes au plus vite !

Contre piécettes et promesses, Achillas monte son armée. Vingt mille fantassins, quatre mille cavaliers s'attaquent aux quatre mille centurions de l'empereur.

– Négocions ! propose le général romain au commandant égyptien.

– Jamais ! crache Achillas.

César convoque les renforts. Mais il sait qu'il faudra du temps avant qu'ils n'arrivent. L'armée des mercenaires[6] d'Achillas a déjà lancé l'assaut sur le Grand Port. Cinquante vaisseaux romains sont au mouillage, elle est en train de s'en emparer. Jules César pressent qu'il n'a pas assez d'hommes pour défendre sa flotte, alors il ruse.

6. Soldats qui se battent pour de l'argent et non pour défendre leur pays.

– Brûlez les navires ! ordonne-t-il à ses centurions.

Et les flammes jaunes, immenses, se dressent de la mer bleue vers le ciel noir. Mais le feu ne veut plus s'arrêter, il s'étend, gagne le rivage, grignote les maisons du port d'Alexandrie, pénètre la cité. Les seaux pleins d'eau du Nil que le peuple jette sur les maisons ne sont rien face au brasier.

Réfugiée au palais, Cléopâtre, désespérée, s'enferme dans sa chambre.

– Tu te rends compte, Charmion… Ma ville ravagée, mon Musée, ma Bibliothèque ! Partout de la cendre, de la suie.

Charmion tente de la consoler :

– C'est un accident, maîtresse. C'est pour vous sauver que César s'est battu ! Pour vous défendre contre Achillas et votre frère…

– Justement ! Je me sens coupable.

Soudain, la porte de la pièce s'ouvre à grand fracas. César entre et aux pieds de la reine dépose une armure d'or.

– Qu'est-ce donc ? demande Cléopâtre.

– La cuirasse de votre frère, Ptolémée le treizième !

– Il est mort ?

– On a retrouvé son corps enfoncé dans la vase du Nil.

Cléopâtre n'a plus rien à craindre. Désormais, elle règnera seule, sans frère-époux. L'Égypte est entre ses mains… et celles de Julius Caesar. Mais

César l'aime, depuis près de deux ans déjà. Il ne fera rien contre elle... Mais un jour ou l'autre, il devra rentrer chez lui, à Rome, où sa femme, Calpurnia, l'attend. Et où son peuple le réclame. Heureusement, Cléopâtre est enceinte et l'empereur rêve d'un enfant, un fils de préférence. Il n'en a jamais eu et se demande même s'il en aura jamais. Alors pour quelque temps encore, César restera près de la reine d'Égypte. Mais combien de temps ?

– Partons ! J'étouffe à Alexandrie, explose César.

– Partir ? Mais où ? s'inquiète Cléopâtre allongée à l'ombre des arbres des jardins.

– Pourquoi pas sur le Nil ? J'aimerais remonter à sa source et voir les pyramides, sourit-il en posant sa tête sur le ventre déjà rond de la jeune femme.

– Si tu veux... soupire la reine, que sa grossesse fatigue.

L'*Imperator* est pressé, il veut s'en aller dès que possible.

– Attends un peu tout de même, je dois d'abord convoquer les grands prêtres, supplie Cléopâtre.

– Pourquoi ?

– Pour que ton fils soit pharaon... un jour.

C'est ainsi que, la veille du départ, la reine s'adresse aux grands prêtres d'Égypte :

– Faites savoir à mon peuple que j'attends un fils. Il n'est pas de Ptolémée le treizième. Son père est le dieu-soleil Amon-Rê qui a pris la forme de

César. L'enfant s'appellera Césarion et naîtra dans quatre mois à mon retour à Alexandrie.

La foule approuve, satisfaite. En Égypte, en l'an 47 avant Jésus-Christ, les pharaons sont des dieux. Si Amon-Rê a pris la forme de César pour donner un fils à Cléopâtre, c'est normal et c'est bien.

– Vive Isis-Cléopâtre ! Vive Amon-Rê-César ! acclame le peuple d'Alexandrie massé sur les berges du Nil.

Et le navire royal escorté de quatre cents esquifs lentement s'éloigne.

Jamais plus beau vaisseau n'a vogué sur le Nil. C'est un bateau plat long de quatre-vingt-dix mètres et haut de dix-huit mètres. Il remonte le fleuve grâce au vent et à la force des rameurs. À l'extrémité du bateau s'élève un temple à Dionysos, le dieu grec de la fête, de l'ivresse, des plaisirs. Son plafond scintille de pierreries. Dans les cales s'entassent les tonneaux de vin, les cageots de fruits, les cages d'animaux prêts à être égorgés pour les futurs festins. Dans la salle des banquets, la vaisselle est d'or, d'argent, de vermeil. Les appartements sont de bois précieux décoré à la feuille d'or, les murs tendus de soie brillante, le sol semé de pétales de roses. Dans la chambre de Cléopâtre, les coffres de cèdre cloutés de rubis sont pleins. Iras et Charmion y ont rangé les robes les plus raffinées, les bijoux les plus travaillés, les parfums les plus capiteux.

Sur le lit spacieux, Julius Caesar, allongé, se

repose en regardant défiler l'eau verte du Nil. Lui qui a combattu tant de fois, livré tant de batailles, prend, pour la première fois, le temps de ne rien faire. À ses côtés, Cléopâtre au ventre rond chantonne.

– Les pyramides ! sursaute soudain César. Je les vois !

– Arrêtons-nous, propose la reine.

Le général n'a jamais été à ce point fasciné, troublé. L'homme qui a parcouru près de la moitié de la Terre n'en revient pas de la beauté et du mystère des pyramides. Mais bientôt il faut repartir car César veut tout voir.

Alors les escales se multiplient. On fait halte à Memphis où l'on honore Apis, le taureau noir à taches blanches, devant lequel les femmes relèvent leur robe pour avoir plus d'enfants. À Thèbes où les momies d'anciens pharaons se dessèchent dans leur tombeau. On descend jusqu'aux frontières de l'Éthiopie où l'empereur espère trouver les sources du Nil.

Une vraie lune de miel…

Sauf que César, un jour, se lasse :

– Rentrons !

La voix est sèche, préoccupée. Le général sait qu'il est temps pour lui de quitter l'Égypte pour retourner à Rome où tout l'attend. Le pouvoir, les honneurs et sa femme qu'il n'aime plus.

– Tu viendras me voir à Rome ? demande-t-il.

Cléopâtre, reine d'Égypte, ne répond pas. Son ventre et son cœur sont trop lourds. Elle a envie de pleurer. Son amour l'abandonne, elle qui attend son enfant, son petit Césarion.

Par les portes grandes ouvertes du palais d'Alexandrie, la nouvelle s'échappe :

– Il est né ! C'est un garçon ! Un mâle !

La foule en liesse scande :

– Vive Ptolémée-Césarion, fils de Cléopâtre et d'Amon-Rê-César !

Dans la chambre rouge du palais, la reine est pâle, épuisée, solitaire. Elle pense à César qui n'est pas là et qui lui manque. Demain, elle demandera que l'on fonde des pièces de monnaie où on la verra en déesse Isis tenant son fils dans ses bras.

À Rome, César ne l'oublie pas. Il a fait sculpter une statue en or où elle est représentée en Vénus, déesse de l'amour. Les Romains sont fous de rage car ils détestent Cléopâtre, cette Égyptienne qui gouverne seule son pays comme un homme. Ils haïssent la séductrice, la courtisane qui pendant près de deux ans leur a volé leur chef. D'ailleurs, Jules César n'a-t-il pas déjà une femme, Calpurnia, une Romaine respectable ?

Mais l'*Imperator* n'a que faire des critiques. Il se sent fort, très fort. Le plus fort du monde. Ne lui a-t-on pas donné tous les pouvoirs ? Il vient d'être nommé dictateur, consul, préfet... C'est lui le chef de Rome et de l'Empire. Alors, il peut bien aimer qui il veut.

– Il est mort ! On l'a tué ! hurle Cléopâtre dans les couloirs du palais.

Iras et Charmion accourent. Elles prennent la veuve dans leurs bras, baignent à l'eau de rose son beau visage ravagé par les larmes, frictionnent son corps brûlant à l'huile mélangée d'opium, lui donnent à boire des tisanes au goût amer.

– César est mort ! On l'a assassiné ! hoquette la reine anéantie.

Être chef suprême de Rome, c'est avoir des ennemis et César en avait. L'un d'eux, un jeune fougueux nommé Brutus, est allé jusqu'au bout : il l'a tué et Cléopâtre, maintenant, est seule.

Il ne lui reste que Césarion, son fils, qui a trois ans et qu'elle s'empresse de faire sacrer roi-pharaon. Elle est reine, il est roi. Mais que vont-ils devenir ?

L'Égypte est riche, mais si fragile face à Rome. Et puis il n'a pas beaucoup plu en cette année 44 avant Jésus-Christ. Le Nil n'a pas assez débordé, les terres n'ont pas eu suffisamment d'eau. Les récoltes sont maigres et les greniers vides. Le peuple a faim. Cléopâtre s'inquiète. Qui va l'aider ?

Le nouveau maître de Rome s'appelle Antoine. Il a quarante-deux ans, soit vingt ans de moins que César, et ne lui ressemble en rien. Antoine n'aime que trois choses : manger, s'amuser et faire la guerre.

Justement, il veut aller livrer bataille en Orient, où tant de richesses sont encore à prendre. Il en profitera pour rencontrer cette reine-pharaon de vingt-sept ans que l'on dit si belle, il pourra peut-être se distraire avec elle. Lui, le grand chef et elle, la petite reine.

Oui, c'est une bonne idée, il va lui envoyer un messager.

– Mon maître, Antoine, est en Cilicie[7], à Tarse. Il voudrait vous voir. Pouvez-vous le rejoindre ? demande le Romain qui vient d'arriver au palais.

La reine d'Égypte, assise sur son trône d'or, pourrait se fâcher. L'invitation ressemble à une convocation. Mais Cléopâtre est habile. Aussi préfère-t-elle sourire et répondre :

– Je viendrai.

Antoine n'est-il pas le maître de Rome ? Elle a besoin de lui. Sans l'appui de Rome, son pays n'est rien. Cléopâtre le sait.

– Iras ! Charmion ! J'ai rendez-vous !

Et les servantes s'activent à préparer le corps de la plus belle femme d'Égypte. Des jours durant, elles brossent, poncent, lavent, huilent, enduisent, parfument. Au palais d'Alexandrie, l'excitation monte : la reine va rencontrer le nouvel *Imperator*.

Le vaisseau royal a quitté le port d'Alexandrie. Il remonte la Méditerranée en direction de Tarse. La poupe est dorée, la voile de pourpre. L'argent brille sur les rames qui battent au rythme d'un

7. Région de l'actuelle Turquie.

orchestre invisible. Sur le pont, de belles esclaves en costume de Nymphe[8] regardent la mer. La maîtresse du bord est étendue sous un lit à baldaquin brodé d'or. De jeunes garçons l'éventent avec des palmes. C'est Cléopâtre vêtue en Aphrodite, la déesse grecque de l'amour, née de la mer. L'encens et la myrrhe répandent jusqu'aux rivages une odeur enivrante. Le navire s'approche lentement de Tarse. La ville murmure :

– Aphrodite, fille de la mer, a rendez-vous avec Antoine ! Elle l'invite à dîner sur son royal vaisseau.

Jamais Antoine, l'empereur qui n'aime que s'amuser, rire et manger, n'a été si bien reçu. Jamais il n'a goûté un tel festin, jamais il n'a vu rassemblés tant de lumières et de flambeaux et jamais non plus, il n'a contemplé femme plus séduisante.

– Tu n'as encore rien vu, *Imperator*, ce banquet n'est pas grand-chose ! susurre Cléopâtre à la fin de la soirée. Je te parie qu'on peut dépenser bien plus au cours d'un seul repas.

– Non, c'est impossible ! s'exclame-t-il.

– Serviteurs ! Qu'on m'apporte une coupe remplie de vinaigre !

La reine détache de son oreille une énorme perle qu'elle plonge dans le liquide. Le précieux bijou se dissout aussitôt. Cléopâtre, alors, porte la coupe à ses lèvres et l'avale d'un trait.

– Ah ! Ah ! Ah ! fait le général romain, sidéré.

---

8. Petite déesse de la mer.

Non, jamais Antoine n'a rencontré femme plus séduisante, plus étonnante.

– Reviens demain, *Imperator*, chuchote la reine à son oreille.

Bien sûr, il reviendra. Comment pourrait-il en être autrement ?

Le lendemain, c'est un autre festin encore plus merveilleux, plus fastueux, plus lumineux. L'homme est à genoux, il désire cette femme, cette fascinante Égyptienne à la voix d'enchanteresse qui lui demande :

– Tu veux l'Égypte et ses richesses ?

Il ne répond pas. Oui, il veut l'Égypte et ses richesses, mais avant tout, il la veut, elle.

– Eh bien, l'Égypte, c'est moi. Moi et mon fils, Césarion. Protège-nous et tu auras l'Égypte. Protège-nous contre Rome et je te fais, toi, prince d'Égypte.

Antoine accepte, parce qu'il la veut immédiatement. Le général romain est tombé amoureux. Comme César.

– Viens, je t'invite chez moi, à Alexandrie. Je te ferai la vie belle, tu verras.

Et l'*Imperator* la suit.

La reine avait raison. Que la vie est belle pour le général à Alexandrie !

Il faut dire que la jeune femme fait tout pour lui plaire. Elle l'emmène au gymnase, l'accompagne à l'escrime, à la chasse pour qu'il défoule son corps d'athlète. Elle joue aux dés avec lui, boit avec lui, mange avec lui. Elle organise des fêtes somptueuses. La nuit, la reine et l'empereur, revêtus de haillons, se glissent dans les rues sombres d'Alexandrie. Ils frappent aux portes closes et jouent des tours aux habitants.

Antoine s'amuse, il oublie tout : Rome, sa cape rouge et ses devoirs d'*Imperator*. Cléopâtre l'a pris dans ses filets dorés. Mais en même temps, elle l'aime. Elle l'aime vraiment. Dans son ventre, elle porte ses enfants, des jumeaux : une fille et un garçon, Cléopâtre-Séléné et Alexandre-Hélios. En grec, la lune et le soleil.

Ils se marient et la jeune femme institue un nouveau calendrier. Désormais, l'an 37 avant Jésus-Christ, année de leur mariage, devient sa première année de règne. La reine fait frapper de nouvelles pièces de monnaie pour célébrer leur amour : Antoine et Cléopâtre y sont représentés en Isis et Osiris, la déesse et le dieu préférés des Égyptiens.

Cléopâtre n'a plus peur. Elle sait qu'elle ne perdra pas son trône car le général la protège de son corps. Il est son bouclier vivant. Alors la reine rêve :

– Antoine, je veux agrandir mon royaume. Donne-moi la Syrie et la Judée !

Et le général reprend les armes. Il rassemble ses soldats et part à la conquête des territoires que sa femme réclame. L'*Imperator* n'obtient pas tout, mais presque.

De retour à Alexandrie, il offre à la reine le

royaume de Chalcis au Liban, les villes de la côte syrienne et de Cilicie, Chypre…

La grande Égypte des ancêtres de Cléopâtre, les premiers Ptolémées, est à nouveau réunie. Jamais les pouvoirs de Cléopâtre n'ont été si étendus. Elle en profite pour visiter quelques-uns de ses derniers territoires et s'emparer de leurs richesses. Elle ramène à Alexandrie les plus belles statues, les plus beaux objets d'art qu'elle voit.

À Rome, la fureur gronde :

– Antoine donne des tranches de l'Empire romain à l'Égyptienne.

– Antoine est un traître ! À mort Antoine ! À mort Cléopâtre !

Octave, jeune général romain plein d'ambition, en profite. Puisque le peuple de Rome en veut à Antoine, il va prendre sa place à la tête de l'Empire. Au passage, il fera de l'Égypte une province romaine. Mais avant, il doit livrer bataille. Faire la guerre à Antoine et à Cléopâtre, sa protégée.

À Alexandrie, c'est la panique. Vite, l'*Imperator* arme cinq cents navires de guerre. Cléopâtre donne l'argent nécessaire. La reine monte à bord de l'*Antonia*, son vaisseau amiral aux voiles de pourpre, et commande elle-même son escadre personnelle de soixante bateaux.

C'est à Actium, dans la mer ionienne, sur les côtes grecques, que la flotte égyptienne rencontre Octave et son armée de quatre cents navires. Tout l'hiver les deux camps s'observent. Au printemps, l'attaque est déclenchée. Aussitôt, l'armée d'Antoine et de Cléopâtre est encerclée. Incapable de s'approvisionner, elle perd ses forces. Bientôt, une seule solution s'impose : la fuite. Antoine rejoint Cléopâtre sur l'*Antonia*. Le bateau file vers Alexandrie, tandis qu'une centaine seulement de leurs vaisseaux parviennent à les suivre.

Le général, à la proue du navire, se tient la tête entre les mains. Il sait que le maître de Rome s'appelle dorénavant Octave.

Arrivé à Alexandrie, l'ex-*Imperator* se fait construire une petite cellule près du port. Il habitera là désormais, en ermite, loin du palais de la belle Cléopâtre. La reine est triste, elle a trente-huit ans et se sent vieille, abandonnée. Comment ramener à elle cet homme blessé dans son orgueil ?

Elle met sa robe la plus seyante, dessine jusqu'à ses tempes ses jolies ailes de papillon et va le trouver :

– Je donne une fête au palais pour ton anniversaire.

Il accepte de la suivre. Mais la fête est sans joie. Antoine, lentement, devient fou. Fou de chagrin.

– Rien n'est plus comme avant, glisse Iras à l'oreille de Charmion.

Le lendemain, la reine reçoit une lettre. Elle est d'Octave et sonne comme un ordre :

Renoncez au trône d'Égypte et faites tuer Antoine.

– Jamais ! hurle Cléopâtre qui déchire la lettre.

Elle sait bien pourtant que son trône et son pays sont maintenant sous le pied du cruel Octave. Alors elle préfère encore préparer sa tombe : une haute tour carrée éclairée par deux fenêtres. Elle y entasse ses biens : or, bijoux, meubles, parfums. Du bois pour faire brûler le tout au cas où Octave voudrait s'en emparer. Et elle s'enferme dans son mausolée.

Antoine l'apprend et s'en inquiète. Sa folie lui fait soupçonner une ruse de la reine :

– Cléopâtre m'abandonne… Elle pactise avec l'ennemi, Octave le terrible, murmure-t-il.

Il retourne au palais et erre dans les couloirs, désœuvré, seul avec sa colère et son amertume. Il n'a plus à ses côtés qu'Éros, son fidèle esclave. Soudain une voix dans le palais l'appelle :

– Antoine ! Antoine ! La reine…

– Quoi ? La reine quoi ?

– Elle vient de se tuer !

– Non ! hurle Antoine.

La honte l'étouffe. Il saisit son épée.

– Tu vois Éros, elle ne m'a pas trahi… Elle m'aimait encore. Je ne veux plus vivre, tue-moi, je t'en supplie.

Éros lève l'arme du maître tant aimé mais c'est vers lui qu'il la tourne pour transpercer son propre corps.

– Tu me donnes le courage dont je manquais, soupire Antoine qui retire le glaive ensanglanté du corps d'Éros, le plonge dans son ventre et s'écroule.

Le sang coule mais Antoine n'est pas mort. Une voix chuchote à son oreille :

– La reine est vivante ! Elle veut te voir.

On le conduit au mausolée où Cléopâtre s'est enfermée avec Iras et Charmion. La porte est scellée, la reine s'est barricadée de crainte qu'Octave ne vienne la tuer.

– Passez-le par la fenêtre ! crie Cléopâtre en pleurs du haut de sa tour.

À l'aide de cordages, Iras et Charmion hissent avec peine le grand corps sanguinolent. Enfin, Antoine est dans les bras de Cléopâtre qui douce-

ment le berce de ses mots d'amour. Et il meurt. La reine n'a plus qu'un désir : suivre l'homme qu'elle a si follement, si tendrement aimé.

Est-ce du poison qu'elle avale ? Est-ce le petit serpent qu'un paysan a caché dans le plat de figues qui pique sa poitrine ? La reine meurt à trente-neuf ans, car c'est la seule liberté qui lui reste. Iras et Charmion, toujours fidèles, l'accompagnent.

C'est ainsi qu'en l'an 30 avant Jésus-Christ, l'Égypte devient province romaine. Le nouveau maître a pour nom Octave, le cruel, et ce n'est pas un Ptolémée.

Un seul soleil

d'Émile Desfeux
illustré par André Benn

L'Égypte, sous le règne du pharaon Aménophis IV, novembre 1360 avant notre ère…

Hartah est assis en tailleur dans la grande salle du temple d'Amon-Rê[1], à Thèbes. Il est vêtu d'un pagne en lin blanc. Le bandeau jaune qui lui ceint le front est celui des scribes d'Amon, les seuls autorisés de père en fils à reproduire les textes sacrés. À sa droite sont rassemblés les fruits d'une année de

1. Le dieu caché.

labeur : dix rouleaux de papyrus aux hiéroglyphes impeccablement tracés et peints de couleurs vives. À sa gauche est disposé son matériel de travail : calames taillés dans les roseaux avec lesquels il écrit, palette, pigments, pilon et mortier, pot à eau…

Hartah soupire. D'un geste calme, il déroule devant lui ses œuvres. Il les contemple, recherchant la moindre erreur, la plus petite imperfection qui auraient pu s'y glisser. Mais l'histoire qu'il vient d'achever semble parfaite.

Il est si absorbé par son travail qu'il n'entend point les pas qui résonnent derrière lui. Le grand prêtre Me-Hart en personne s'approche du scribe. Son visage, habituellement calme et bienveillant, paraît inquiet, soucieux, et ses yeux sont rougis par le manque de sommeil. Il se penche sur l'épaule d'Hartah pour lire le conte narré sur l'un des rouleaux :

Le nom d'Amon
Isis, déesse magicienne,
veut connaître le nom caché d'Amon-Rê.
Amon refuse.
Ce nom secret confère toute la puissance
Du dieu à celle ou à celui qui le connaît.
Isis le fait mordre par un serpent magique.
Amon est immortel.
Mais les souffrances qu'il endure
à cause du poison sont épouvantables.
Pour y échapper, Amon récite à Isis tous les noms
qui le qualifient, sauf son nom véritable.

Isis n'est pas dupe
et les douleurs se font plus aiguës.
Amon décide alors de chuchoter son nom secret
à l'oreille d'Isis.

– Bravo Hartah ! s'exclame le prêtre, faisant sursauter le scribe qui se prosterne aussitôt. Le visage de Me-Hart s'apaise en admirant l'œuvre d'art. Tu t'es surpassé ! Quelle élégance de trait, quelle créativité dans les couleurs ! La liste des qualificatifs d'Amon est parfaite. Comme les douleurs de ce dieu sont émouvantes, j'en ai les larmes aux yeux… Et quelle magnifique trouvaille que d'avoir tracé le soleil de l'aube sur la mer à la place du nom secret que personne ne connaît !

Hartah est confus de tant de compliments. Le religieux lui glisse dans les mains une bourse remplie d'anneaux d'or. Le scribe la soupèse.

– Mais, grand prêtre, c'est cent fois le prix convenu…

Le sourire de Me-Hart s'estompe.

– Les temps sont incertains, dit-il d'un air troublé. Cet or est mieux dans ta bourse que dans les caisses du temple. Toi, tu es un homme simple et bon qui ne se préoccupe que de son art. Mais la politique…

Son visage s'assombrit davantage. Se reprenant, Me-Hart poursuit :

– Pour ce prix, Hartah, garde et cache les rouleaux dans ta demeure. Reste chez toi, ne viens plus au temple. Je te préviendrai lorsque…

Un bruit terrible l'interrompt. Dehors, la tête de bronze d'un énorme bélier frappe contre la porte d'entrée. À chaque coup, les gigantesques vantaux vibrent à se rompre.

– Ce n'est pas possible… Ils sont déjà là… Vite, Hartah, par ici !

Traversant la salle d'un pas précipité, le prêtre entraîne le scribe vers la statue d'Amon, colosse de granit gris de vingt-cinq mètres de haut, qui trône au centre du temple. Hartah pense que le religieux va se jeter aux pieds de la divinité pour implorer son aide, mais il se trompe. Me-Hart pose sa main sur le soubassement du dieu figé. Un bas-relief couvre sa surface. Il appuie fermement sur la sculpture représentant la barque de l'Au-delà. Un déclic se produit et un orifice s'ouvre sur les ténèbres. Hartah en reste bouche bée. Vingt ans qu'il travaille dans cette pièce sans avoir jamais soupçonné ce passage secret !

– Va, mon ami, et souviens-toi de ce que je t'ai dit…

– Mais que se passe-t-il ? Et vous, grand prêtre ?

Sans répondre, Me-Hart se hâte de fixer les rouleaux de papyrus sur le dos du scribe à l'aide de cordelettes. Puis il le pousse sans ménagement vers le trou noir.

– Va, Hartah. Amon me protégera.

À l'intérieur du souterrain, la chaleur moite est insupportable.

Une fois le panneau refermé, l'obscurité est absolue. Hartah, transpirant de peur, suit à tâtons la galerie. Sa main, qui glisse sur la roche, s'écorche aux aspérités. Soudain, la terre se met à trembler. La porte du temple, dans un fracas titanesque, vient de s'effondrer. Des piétinements se font entendre. Puis, des bruits étranges parviennent jusqu'au scribe, comme des pieux qui frapperaient les parois. Hartah ne peut savoir qu'à cet instant précis, les soldats de Pharaon s'affairent à coups de pic pour effacer le nom d'Amon de tous les hiéroglyphes du temple. Aménophis IV a décidé de répudier cette divinité et de la faire disparaître de tout l'Empire égyptien.

Novembre, sur les bords du Nil, est un mois doux comme le printemps. Le soleil devient caressant et la nature, encore abreuvée par les crues de septembre, est radieuse.

Tem-Naket, quinze ans, le fils d'Hartah, rame sur les flots jaunes du fleuve majestueux. La légère felouque file paisiblement le long du rivage. Face à lui, Nefernout contemple l'eau de ses grands yeux noirs. Tem lui sourit, tout en se sentant quelque peu coupable... Ne devrait-il pas être chez lui à faire ses exercices de hiéroglyphes ? Mais comment résister, par une si belle journée, à l'attrait d'une promenade en barque parmi les papyrus du Nil ?

Le garçon a rencontré Nefernout lors d'une baignade. Depuis, ils se voient régulièrement. Cette fille au visage sérieux et aux beaux yeux en amande ne laisse pas l'adolescent indifférent. Sans trop savoir pourquoi, peut-être parce que tel est son désir le plus cher, Tem lui a raconté qu'il était apprenti peintre. Mais juste après avoir laissé échapper ce mensonge, il a pris conscience qu'il jouait avec sa vie. Car l'homme qui enfreint la tradition, celle imposant au fils d'un scribe du temple d'être scribe à son tour, encourt la peine capitale. Et maintenant, Tem-Naket se sent piégé par son mensonge...

À cette heure de la journée, le chemin de halage qui épouse la rive est désert. Nefernout détourne le regard du fleuve et fixe intensément le garçon. Elle brise le silence d'un ton enjoué :

– Mais au fait, Tem-Naket, tes parents ne disent rien de tes sorties ?

Tem sursaute. Aurait-elle deviné que ses escapades ne sont pas vraiment autorisées ?

– Eh bien, pour tout te dire, mère est morte depuis longtemps, lui confie-t-il d'une voix hésitante, et père... ne se doute de rien.

– Et là, tu es censé être où ?

– Euh... à la maison.

Nefernout éclate de rire.

– Tu n'es qu'un paresseux ! Comment veux-tu devenir un peintre reconnu si tu flânes avec moi au lieu de travailler tes couleurs ?

Tem, tout penaud, ne sait que répondre. Il n'est même pas peintre, alors...

– Allez, je te raccompagne chez toi ! lance Nefernout avec sévérité.

Mais, en contradiction avec le ton de sa voix, elle l'embrasse tendrement sur la joue.

Tremblant de peur, Hartah court à en perdre haleine le long des sombres corridors. Cela fait une éternité, lui semble-t-il, qu'il est immergé dans ces ténèbres à l'odeur âcre, se débarrassant avec dégoût des énormes toiles d'araignée qu'il brise dans sa course aveugle. L'air est vicié, étouffant.

Tout à coup une tache de lumière éblouissante apparaît. Le fugitif s'approche, regarde vers le haut en clignant des yeux. À travers une ouverture circulaire, un petit bout de ciel bleu lui sourit. Le passage secret aboutit sous un puits, asséché et abandonné.

Hartah remonte péniblement vers la surface, gêné par ses rouleaux de papyrus. Il se cramponne aux pics plantés dans la paroi, s'accrochant aux buissons qui recouvrent la cavité. Son vêtement, couvert de poussière, est déchiré en plusieurs endroits. Épuisé, il s'extirpe tant bien que mal du puits. Il a dû passer toute l'après-midi dans les bas-fonds car dehors, la lumière est devenue douce.

Debout sur la margelle, il essaie de s'orienter. Il se trouve à la limite de la ville, et il lui faudra marcher encore une bonne heure pour parvenir jusqu'à sa demeure.

Lorsqu'il rentre enfin chez lui, son fils est penché sur une tablette, s'appliquant à tracer des caractères idéographiques. Hartah met aussitôt ses œuvres et la bourse remplie d'or en lieu sûr. Puis il ôte sa tunique et en revêt une autre. Il est troublé, tourmenté par les terribles événements qui viennent de se produire au temple. Pendant un instant pourtant, il oublie ses préoccupations pour observer attentivement le travail de son fils. Mécontent, il grommelle :

– Écrire *Temou*[2], ce n'est pas difficile tout de même ! De gauche à droite, quatre bâtonnets perpendiculaires… Bien… Puis une femme et un

2. En hiéroglyphes, « La race humaine ».

homme… Là, tu exagères, on dirait des grenouilles !

– Mais père, c'est trop dur !

– Et après l'ibis, le corbeau, pas mal… Ah, tu as oublié le petit trait sous les pattes. Montre-moi ton poinçon.

Hartah arrache le stylet[3] des mains de son fils. Tem sait pertinemment qu'il aurait dû retailler son instrument à chaque hiéroglyphe, afin que les contours soient toujours impeccables sur la tablette. Mais il n'a pas eu le temps. Il venait juste de rentrer de sa promenade et de se mettre à ses exercices, lorsque son père a fait irruption.

– Ce concombre décapité, tu appelles ça un stylet bien taillé ! tonne Hartah, qui ne peut contenir sa colère tant il est agité.

Son fils a sans nul doute hérité du talent paternel pour dessiner les hiéroglyphes, mais Hartah pense que Tem pourrait approcher la perfection… Le père ne devine pas que cette paresse traduit le désintérêt et que le garçon est las de devoir tracer, à longueur de journée, des milliers de combinaisons différentes, toujours avec les mêmes symboles. Le jeune homme voudrait être sculpteur, comme le frère de Nefernout, ou, mieux encore, peintre comme il l'a prétendu. Hélas, la loi d'Amon l'interdit. Comment faire alors pour changer de métier ?

Hartah montre à son fils la manière d'écrire

3. Instrument pointu servant à écrire ou à dessiner.

Temou. Tem-Naket est chaque fois surpris par la virtuosité de son père. Ses hiéroglyphes sont tellement vivants que l'on s'attendrait à les voir bouger et sortir de leur cadre.

Mais ce que Tem ignore, c'est que Hartah sait également peindre, même s'il n'a fait qu'un seul tableau dans sa vie : le portrait de sa femme Me-Urt, morte à la naissance de Tem-Naket. L'homme n'a jamais confié à personne qu'il était l'auteur de cette œuvre. La figure qu'il a peinte est si réelle que l'on dirait le reflet d'une personne dans un miroir.

Après un repas sommaire, les deux hommes se couchent sur leur lit. Le fils sombre bientôt dans un sommeil doux et paisible, mais le père ne parvient pas à s'endormir.

Une heure avant l'aube, le coq entonne une symphonie de cris assourdissants. Tem a beau se répéter que c'est un animal sacré, qu'il salue Amon avec enthousiasme et qu'il s'agit d'un excellent présage… cet oiseau fait quand même un raffut insupportable ! Les yeux encore rouges de sommeil, l'adolescent se lève et part se rafraîchir au puits, qui se situe à dix minutes de chez lui. L'air est doux, la terre rouge du chemin est encore humide de rosée. Il n'y a pas âme qui vive aux alentours. Tem-Naket remonte une jarre remplie d'eau du puits et se lave avec entrain lorsqu'une patrouille de soldats, armés jusqu'aux dents, s'arrête à sa hauteur. L'officier qui les commande apostrophe le garçon :

– Hep, toi là-bas ! Au nom de Pharaon, où habite Hartah, le scribe du temple d'Amon ?

Tem déteste que l'on s'adresse à lui ainsi, sans prendre la peine de le saluer. Et que veut cet officier brutal à son père ? Voici l'occasion rêvée de faire une petite farce aux militaires : les envoyer du côté opposé de l'habitation.

– Il doit loger là-bas, derrière les canaux d'irrigation…

En maugréant, officier et patrouille font demi-tour et s'éloignent. L'adolescent sait que, pour traverser ces fameux canaux, il faut franchir le pont qui se trouve bien plus loin. La troupe en a pour un bon moment.

Content de lui mais intrigué par la question des soldats, Tem rentre aussitôt chez lui et réveille son père :

– Père, père, des soldats te cherchent ! Je les ai envoyés ailleurs, mais ils vont revenir sous peu… Que se passe-t-il ?

Hartah, blême, se lève d'un bond.

– Depuis hier, je redoute le pire. Mais l'heure n'est pas aux discussions. Pour l'instant, il faut fuir.

Tem-Naket n'a jamais vu son père animé d'une telle énergie. En un tournemain, le scribe emballe le portrait de son épouse, saisit les rouleaux de papyrus et l'or, entasse vêtements et ustensiles dans un baluchon, et charge le tout sur leur mulet. En chemin, Hartah rapporte brièvement à son fils la scène du temple et conclut :

– J'ignore ce qui se passe. Mais il semble que Pharaon n'aime plus Amon ni ses gens. En attendant que les événements prennent meilleure tournure, il vaut mieux nous cacher.

– Et où allons-nous ?

– Dans la maison de tes grands-parents, au nord de Thèbes. Tu y es allé lorsque tu étais enfant.

Le garçon avance tel un automate, abasourdi. Ainsi, ils doivent tout abandonner ! Sans avoir mal agi, ils sont devenus des hors-la-loi, obligés de se cacher comme des criminels. Sa vie de tous les jours, qui lui paraissait immuable, se trouve bouleversée en un instant !

La dernière fois qu'il avait séjourné chez ses grands-parents, Tem devait avoir cinq ans à peine. Dans ses souvenirs, la maison se trouvait dans un endroit humide, un marécage sur la rive droite du Nil. Une plaine de papyrus, plate et déserte, interrompue par quelques rares potagers. À l'aube et au coucher, des moustiques de toutes tailles livraient la chasse aux humains. L'adolescent se rappelle les bonnes odeurs qui se dégageaient de la cuisine de sa grand-mère. Elle y préparait des onguents contre les insectes, à base de verveine et de citronnelle. Dans la maison, encens et myrrhe brûlaient la nuit entière pour éloigner ces indésirables.

– Que va-t-on y faire en attendant ?

– Je pense que la maison n'est pas en très bon état. Nous allons donc réparer ce qui doit l'être dans un premier temps. Et toi, n'oublie pas tes exercices de hiéroglyphes. Ne crains rien, ce ne sont pas les tâches qui manqueront !

Tem est désespéré : il aime tant l'agitation qui règne à Thèbes, ses habitants, ses commerces, ses rues… Mais ce n'est pas là son principal souci. « On va se terrer ici, pense le garçon, sans voir personne ! Et Nefernout ? Elle me manque déjà. Que va-t-elle imaginer ? Je n'ai même pas pu la prévenir… Et puis, les hiéroglyphes, pourquoi en tracer encore si l'on doit fuir le temple ? » La tristesse serre le cœur du garçon mais il cache ses larmes à son père.

Après quatre jours et demi de marche menée à vive allure, Tem et Hartah, éreintés, arrivent sur les lieux. Rien n'a changé. Les étendues de papyrus ondulent sous la brise, les marais sont couverts de plantes aquatiques. Les oiseaux pullulent : canards, flamants roses, ibis, hérons, grues… L'adolescent, malgré son désarroi, reconnaît que l'endroit est d'une beauté époustouflante.

Parvenus au seuil de la maison, les deux hommes constatent que la bâtisse a effectivement souffert de ses années d'abandon : les mauvaises herbes apparaissent dans les moindres interstices des murs de brique et elles prolifèrent dans la cour intérieure.

Les premiers jours, père et fils travaillent d'arrache-pied pour redonner à la propriété un aspect convenable. Puis leur vie s'organise : exercices d'écriture, chasse et pêche, réparation du toit, aménagement de l'intérieur de la maison.

Une lune passe ainsi. Tem, malgré ses nouvelles occupations, ne cesse de penser à Nefernout. Le visage de son amie est gravé dans sa mémoire. Que pense-t-elle de lui, de sa disparition ? Et que vont-ils devenir, lui et Hartah, si le puissant pharaon veut leur mort ?

Un soir, les deux hommes, assis devant la porte, savourent une bière d'orge. Autour d'eux, la myrrhe, qui se consume, répand son parfum. Le ciel est rose, veiné d'or et de turquoise ; un petit vent frais courbe doucement les tiges des papyrus. Hartah examine la dernière tablette que Tem vient d'achever.

– C'est bien, tu t'améliores, Tem. Je suis content de toi…

Encouragé par ce compliment, le garçon en profite pour dévoiler ses sentiments :

– Père, cela fait presque un mois que nous sommes partis de Thèbes… Si toi, par prudence, tu ne dois pas te montrer, ne crois-tu pas que je pourrais m'y rendre pour voir ce qui s'y passe ? Peut-être les prêtres du temple veulent-ils te transmettre un message…

Hartah secoue la tête.

– Non. La vie dans la capitale est terminée pour nous. Il nous faut rester cachés. Je ne sais pas ce que nous allons devenir. Mais au moins ici, nous sommes tranquilles.

« Tranquilles ! Tranquilles comme des momies », songe Tem.

Son espoir de revoir Nefernout s'envole aussitôt. Perdu dans ses pensées, le garçon regarde distraitement l'étendue verte devant lui, qui sombre dans l'obscurité à mesure que le soleil descend sur l'horizon. Tout à coup, des centaines de torches s'allument parmi les papyrus. Hartah est le premier à réagir.

– Des soldats ! Vite, rentrons !

Mais il est trop tard. Les alentours de la maison grouillent d'uniformes. Les soldats, sans daigner poser un regard sur les deux individus, entrent et inspectent la demeure.

– Cette propriété est réquisitionnée, lance un officier. Pharaon en personne lui fera l'honneur d'y passer la nuit. Vous dormirez dehors.

Hartah soupire de soulagement : il a enterré l'or et les rouleaux de papyrus le matin même dans la cour. Mais que vient faire ici le souverain ? Les soldats se rangent sur deux files tout au long du sentier qui mène à l'habitation.

Des hérauts arrivent au pas de course et se positionnent juste à côté d'Hartah et de Tem-Naket. Les clairons retentissent dans l'obscurité. Tout le monde se prosterne. Un homme encore jeune, grand, frêle, la silhouette légèrement voûtée, juché sur une chaise à porteurs, s'avance. Lui, ses serviteurs et sa chaise sont maculés de boue et de fragments de feuilles à demi pourries du marais.

– La paix soit avec tous, dit le personnage d'une voix profonde, en prononçant les mots avec élégance.

C'est Aménophis IV. Hartah tremble. Le roi

serait-il venu jusqu'ici pour le punir ? Mais celui-ci semble très amène.

– Levez-vous, levez-vous ! Cessez de vous jeter à terre chaque fois que je parais ! Quelle perte de temps ! Où est Prut-Kru ?

Un individu replet, chargé de rouleaux de papyrus, accourt.

– Je suis là, seigneur…

Le pharaon commence alors à parler, l'air agité et fiévreux, pendant que des servantes le débarrassent de ses vêtements souillés de boue.

– J'ai sondé le marais, et ainsi que tu me l'as dit, Prut-kru, on peut y construire ! Montre-moi les plans.

L'architecte étale sur le sol un rouleau de papyrus. Aménophis l'examine avec des exclamations de satisfaction. Puis il se tourne vers Hartah et Tem, toujours prosternés.

– Et vous, qui êtes-vous ?

– Nous sommes les pauvres habitants de cette maison, seigneur…

– Eh bien, vous serez les premiers de mes sujets à le savoir. Je vais construire ici même ma nouvelle capitale. Elle s'appellera Akhet-Aton[4]…

Tem, saisi par une impulsion soudaine, attrape stylet et tablette, et inscrit en hiéroglyphes le nom de la ville. Il tend timidement son travail au pha-

4. Nom égyptien de la ville de Tell El-Amarna, qui signifie « L'horizon du disque solaire ».

raon. Hartah blêmit de peur : l'impudence de son fils risque de leur coûter cher. Le roi se penche. Il est frappé par la délicatesse du trait. Une lueur d'intérêt brille dans ses yeux.

– Joli ! Très joli ! Quel est ton métier, jeune homme ?

Ce dernier va répondre qu'il sera bientôt scribe au temple d'Amon, comme son père, mais il se ravise au dernier moment. Pris au dépourvu et pour rompre le silence devenu pesant, Tem improvise :

– Je suis... peintre.

Le pharaon exulte. Hartah pense que son fils est devenu fou.

– Peintre ! Magnifique ! J'ai besoin de peintres ! Et aussi de sculpteurs, maçons, architectes, musiciens, chanteurs, artistes ! Prut-Kru, inscris le nom de ce garçon sur tes listes, je veux qu'il travaille pour moi...

– Oui, majesté...

– Quant à toi, le peintre, pour te récompenser d'être le premier habitant d'Akhet-Aton, je te laisse ta maison. Elle ne sera pas rasée. En outre, les terrains alentour t'appartiennent désormais. Écris sur ta tablette : *Don d'Aménophis IV*... Non, attends, pas d'Aménophis... Je ne veux plus que l'on m'appelle ainsi...

À cette phrase, un frisson parcourt l'assistance.

– Je ne veux plus des cachotteries d'Amon... Un dieu au nom caché, ce n'est pas pour moi ! Nous vivons grâce au soleil, Aton. Voilà un dieu visible chaque jour et qui nous dispense les bienfaits de la vie ! Mettons un terme à cette profusion de divinités plus étonnantes les unes que les autres, et célébrons le dieu unique, Aton ! Je vais donc m'appeler… Akhenaton[5] !

Tous les sujets se prosternent, sauf Tem-Naket qui suit bouche bée le soliloque de Pharaon.

– Écris : *Don du pharaon Akhenaton au…* comment t'appelles-tu ?

– Tem-Naket…

– *… au peintre Tem-Naket.*

Le garçon s'exécute. Akhenaton imprime son sceau sur la tablette. Prut-Kru chuchote à Hartah :

– Ton fils a beaucoup de chance ! Notre majesté lui a donné de nombreux terrains constructibles, juste à côté de la nouvelle cité…

– Dormons chez ce peintre ! s'exclame en riant le pharaon. Demain, mon épouse Néfertiti nous rejoindra accompagnée de la cour et d'une armée d'ouvriers. J'ai tellement hâte que l'on commence à bâtir !

Hartah et Tem laissent leur demeure au roi et s'installent pour la nuit sur le toit en terrasse de leur maison, entre deux brûleurs d'encens. Le père sermonne son fils à voix basse :

– Tu es fou ! Quelle mouche t'a piqué ? Te voilà *peintre* d'Akhenaton… Sacrilège ! Passible de peine

5. Serviteur du disque solaire.

de mort pour avoir enfreint la loi d'Amon, si on découvre que tu es mon fils...

– Mais père, la loi d'Amon, Pharaon n'en veut plus, il me semble... Qui oserait le contredire ? Tu imagines quelqu'un me dénoncer au nom d'Amon ? Et puis, ne sommes-nous pas riches à présent ?

– Tu ne comprends pas. Tu es jeune et insouciant. Nous sommes scribes d'Amon depuis les débuts de l'humanité. Mon père l'était, son père aussi, ainsi que le père de son père. Quelle que soit la dynastie, une personne de notre famille a toujours été scribe d'Amon... et maintenant, plus rien !

Tem-Naket se détourne. Les larmes de son père lui sont insupportables. Il réalise que toute la vie de Hartah vient de s'écrouler, en quelques instants. Le garçon tente de prendre un ton léger :

– Ne t'inquiète pas, père. Le pharaon est étrange, mais il s'est montré bon et généreux...

Le scribe secoue la tête, au comble du désespoir.

– Oui, mais il n'est pas éternel. Que deviendras-tu s'il disparaît brusquement, et que tu as répudié Amon ?

Tem comprend la détresse de Hartah, non sa peur qui lui paraît irraisonnée. Le garçon, lui, voit le bon côté des choses : hors-la-loi depuis quelques semaines, le voilà devenu peintre à la cour. Il possède terrains et maison, et peut, s'il le souhaite, retourner à Thèbes revoir Nefernout.

– Père, tout d'abord je n'ai pas répudié Amon, je ne l'ai dit ni écrit nulle part. Et puis, j'ose également t'avouer qu'être scribe ne m'attirait guère. Je le serais devenu uniquement pour te faire plaisir...

Les mots se bousculent sur les lèvres de Tem. Même s'il sait que cette déclaration peine son père, il sent qu'une nouvelle voie s'ouvre devant lui.

– ... Enfin, je prendrai un nom d'artiste pour servir Pharaon. Personne ne saura qu'il s'agit de ton fils. Calme-toi, père. Tout ira pour le mieux.

Mais le vieil homme reste sombre.

Un nouveau jour se lève sur les marais. Les oiseaux s'envolent au son des clairons des hérauts. Une flotte de bateaux mouille sur les rives du Nil. Un cortège de plusieurs centaines de personnes en débarque. Une ville de tentes somptueuses se dresse bientôt. Au-delà, un autre ensemble s'élève, d'aspect plus modeste mais plus étendu, réservé aux artisans et aux ouvriers.

Pharaon, Prut-Kru et la cour vont à la rencontre de la reine Néfertiti et de ses servantes. Des milliers d'esclaves sont déjà à l'œuvre. Ils creusent des canaux, établissent des fondations, tracent des routes.

– Père, puis-je aller voir le chantier ? demande Tem.

Hartah voudrait dire non. Toute la nuit, il a réfléchi à la discussion qu'ils ont eue sur le toit. Son cœur se serre. Tout a changé si vite. Son fils est propriétaire de terres, sous la protection de

Pharaon. Il est soudain peintre à la cour. Hartah ne peut cependant se faire à l'idée que sa fidélité à Amon soit remise en cause. Son propre enfant aura brisé une loi sacrée ! Mais l'est-elle encore, puisque Pharaon lui-même a répudié la divinité ? Au bord du désespoir, le vieil homme tente de se raisonner. Si tout cela arrive, n'est-ce pas par la volonté des dieux ? Cette pensée l'apaise. Et il répond en souriant :

– Va, mon fils…

Tem s'aventure dans la ville de tentes. Un affairement prodigieux anime les allées. Des animaux de trait tirent des chars lourdement chargés ; des hommes et des femmes s'apostrophent dans plusieurs langues. Un immense obélisque, couché sur trois bateaux reliés l'un à l'autre par des câbles, attend d'être débardé. On ne voit nulle part les tuniques familières des prêtres d'Amon, si nombreux à Thèbes et dans les cités égyptiennes.

Tem, gagné par l'excitation de la foule, marche d'un pas alerte pour s'enivrer de ce mouvement frénétique et bâtisseur. Il est tellement heureux de ce bouleversement dans sa vie qu'il veut tout voir. Soudain, l'envie le prend de courir à Thèbes et d'annoncer cette nouvelle à son amie… Mais pense-t-elle encore à lui et ne sera-t-elle pas fâchée d'apprendre qu'il lui a menti jusqu'à présent ?

– Tem-Naket !

Le garçon a l'impression d'avoir entendu dans le brouhaha la voix de Nefernout.

– Tem-Naket !

Il s'arrête. La voix est proche. Elle est réelle. Il se retourne et aperçoit Nefernout. La jeune fille est perchée sur le chargement d'un char rempli d'instruments de sculpture. Agile, elle saute au sol et se jette dans les bras de Tem. Ils s'embrassent, éberlués de se retrouver au milieu d'un tel fourmillement.

– Mais que fais-tu ici ?

– Je suis venue avec mon frère, qui travaille pour Pharaon. Et toi ?

Tem exulte.

– Eh bien, je travaille aussi pour Pharaon… comme peintre. Où est ton frère ?

– Là-bas. Il a égaré notre tente, et l'on ne sait plus où loger.

– Mais venez donc chez moi ! J'ai une maison tout près. Je vous présenterai à mon père.

Hartah se frotte les yeux. Assis sur le seuil de la maison, il voit avancer le long du chemin un char extrêmement chargé. Devant, Tem marche main dans la main avec une jeune femme qui ressemble à s'y méprendre à Me-Urt, l'épouse qu'il a perdue il y a des années. Quel est ce prodige ? Elle semble avoir quatorze ans, l'âge où Hartah l'a connue… Les yeux du vieux scribe se remplissent de larmes, il reste comme paralysé.

– Père, je voudrais te présenter mes amis !

Interpellé par son fils, l'homme reprend aussitôt ses esprits et s'essuie les yeux du revers de la main. Il se lève et vient à la rencontre de ses jeunes hôtes.

Sous la tente royale de Pharaon, la cour est au grand complet.

– Tout doit être terminé avant le nouvel an, dit Akhenaton.

Prut-Kru s'éponge le front : ce que lui demande le roi est impossible. Mais on ne peut dire « non » à Pharaon.

– Seigneur, c'est un délai très court...

– Pourquoi ?

– Je n'ai pas assez d'ouvriers. Et il faut remonter les matériaux par le fleuve, c'est lent, ou alors par chars à bœufs, ce qui est encore plus lent...

– Combien d'hommes te faudrait-il ?

L'architecte est très embarrassé. Le chiffre qu'il a calculé est colossal.

– Alors ? s'impatiente Akhenaton.

– Dix mille hommes, pour tout terminer avant la prochaine crue.

Akhenaton, aussitôt détendu, sourit.

– Eh bien, ne pouvais-tu le dire ! Combien de soldats avons-nous dans nos colonies, Néfertiti ?

La reine, qui assiste aux entretiens et qui suit le chantier avec autant de passion que son époux, consulte le rouleau tendu par une servante.

– Quatre-vingt mille, mon prince...

– À la bonne heure ! Qu'on en rapatrie vingt mille et qu'on les mette au travail sur le chantier !

Prut-Kru se confond en remerciements, tandis que le ministre des Colonies est pris de vertiges.

– Mais, majesté, si l'on rapatrie vingt mille

hommes, on ne peut plus assurer l'occupation de nos colonies…

– Eh bien, Heka, abandonnons celle où l'on nous hait le plus[6]. Je souhaite l'émancipation des individus, c'est une bonne occasion pour commencer.

– Mais ce sont les conquêtes de feu votre père !

– Et alors ? Nous ferons plaisir à Aton, qui n'aime pas que sous sa lumière il y ait des colonisateurs et des colonisés. Nous laisserons en paix ces gens qui, depuis Thoutmosis, souffrent et nous maudissent, et ma cité sera prête dans six mois. Parfait, non ?

– Mais, majesté…

Le ton du pharaon est tranchant.

– Il n'y a pas de *mais*, Heka. C'est la volonté d'Aton qui s'exprime par ma bouche.

Tem-Naket, au sommet de l'échafaudage, vient d'enduire la paroi sur laquelle il va dessiner la fresque. La peinture représentera le débarquement des bâtisseurs dans la nouvelle capitale, Akhet-Aton, tel que Hartah et lui-même l'ont vécu. Pharaon lui a recommandé d'oublier les anciennes règles[7] et de ne suivre que son inspiration et la réalité des événements.

6. Sous le règne d'Akhenaton, les colonies furent abandonnées.
7. Une véritable révolution esthétique donna naissance à une nouvelle forme d'art qui, abandonnant toute stylisation rituelle, devint réaliste jusqu'à la caricature.

Le jeune homme achève à l'instant l'une des scènes composant l'œuvre : un char à bœufs chargé d'instruments de sculpteur. Sur le chargement trône une belle fille aux grands yeux bruns qui sourit à un garçon perdu dans la foule. Au bas de l'échafaudage, Hartah et Nefernout sont émerveillés :

– Comme il peint bien ! s'extasie la jeune femme.

« Oui... je suis tellement fier de lui », voudrait répondre Hartah.

Il se tourne vers Nefernout, qui, les yeux levés, ne perd pas un geste de Tem. Il se souvient que Me-Urt le regardait avec la même admiration lorsqu'il peignait son portrait. Il se tait et sourit.

Celui-Qui-Ne-Peut-Mourir

de Patrick Cappelli
illustré par Michel Blanc-Dumont

— Et ça, c'est quoi ? demanda Franck en arabe, en montrant une drôle de statuette au cheikh[1] Yusuf, propriétaire de la plus incroyable boutique d'antiquités du Caire.

Le vieil homme s'approcha, tout courbé, se frayant un chemin parmi les innombrables objets qui remplissaient son échoppe. Il attrapa ses lorgnons qui pendaient au bout d'une chaîne en or

1. Titre donné à tout musulman respectable en raison de son âge, de sa fonction, etc.

pour s'en coiffer le nez. Sa barbe blanche descendait presque jusqu'au sol. Yusuf connaissait la moindre babiole à cent kilomètres à la ronde.

Franck venait chez lui depuis dix ans, depuis qu'il avait découvert cette boutique oubliée dans un quartier excentré de la métropole égyptienne. L'Égypte l'avait envoûté dès sa première visite et cette passion ne l'avait plus quitté. Il avait visité tous les monuments : les pyramides, Louxor, Karnak, la Vallée des Rois et la Vallée des Reines, Abu Simbel. Aucun site ne lui avait échappé, il s'était rendu sur la plupart des chantiers de fouilles. Mais il aimait aussi l'Égypte contemporaine, sa vitalité, ses foules bigarrées, ses senteurs orientales. Avant de devenir guide professionnel, il avait arpenté Alexandrie et Le Caire durant des mois, s'imprégnant de leur atmosphère, apprenant à apprécier leurs habitants. C'est lors d'une de ces pérégrinations qu'il avait déniché la pittoresque échoppe.

– Fais voir, fais voir !

Le cheikh lui arracha presque des mains la statue usée par le temps. Il la souleva vers la faible lumière qui parvenait à pénétrer dans son antre.

– Hummm, heuheu, marmonna-t-il.

Il tourna l'objet en tous sens, gratta un peu de sa surface terreuse, chercha des inscriptions, puis n'en trouvant pas, il le rendit au guide.

– Je ne sais pas ce que c'est, ajouta-t-il. Je n'ai jamais rien vu de semblable. Je ne savais même pas que je l'avais en magasin...

– Quoi ? Le grand Maître des Vieilleries avoue ses lacunes ? C'est la première fois que j'entends ça. Champagne ! se moqua Franck, qui aimait bien taquiner le vieil homme, devenu son ami au fil de ses visites.

– Ne te moque pas, infidèle ! Parfois, mieux vaut rester ignorant. Certaines choses ne sont pas bonnes…

Ce ton grave, qui ne ressemblait pas à Yusuf, alerta le Français.

– C'est-à-dire ?

Il manipula la statuette avec précaution. Elle représentait une silhouette humaine, les mains croisées sur le haut du ventre, les deux jambes jointes. Elle était faite de terre cuite et semblait trop légère pour sa taille, environ cinquante centimètres. Le visage était pratiquement effacé. Une ancienne effigie égyptienne peut-être, mais trop antique pour avoir conservé ses traits ou d'autres signes distinctifs. Franck la secoua légèrement et il crut entendre quelque chose s'entrechoquer à l'intérieur.

– Si ce truc t'intéresse, prends-le. Cependant, sois prudent. Je ne sais pas pourquoi, mais je ne l'aime pas. Il dégage une sensation désagréable. Attention à l'inconnu, surtout s'il vient du fond des âges !

Le guide examina à nouveau l'objet. Malgré son côté inachevé, il l'attirait. Sa texture rugueuse lui plaisait. Il l'emballa dans une feuille de journal qui traînait dans le fourbi de Yusuf.

– Quel est ton prix ? demanda le jeune homme.

Le cheikh grommela :

– Rien. Ce qui n'est pas à moi, je ne le vends pas.

– Comme tu veux. OK, j'emporte les deux vases de la IIIe dynastie, le bas-relief Ancien Empire et cet objet non identifié… À bientôt, ô Empereur des rebuts !

Il souleva son chapeau de toile pour saluer le patriarche et sortit dans la ruelle encombrée de véhicules poussiéreux.

La nuit était tombée.

Assis sur le lit de sa chambre d'hôtel, lavé et habillé d'un simple tee-shirt blanc et d'un slip, Franck avait les yeux rivés sur l'étrange silhouette de terre cuite couchée sur le couvre-lit orange. Mais pourquoi ce truc sans forme, qui ne pouvait décemment être qualifié de relique historique, le fascinait-il ainsi ? Troublé, le jeune homme alla se chercher un verre d'eau.

La saison touristique était bien entamée et la chaleur écrasante du désert environnant s'abattait sur Le Caire. La poussière enveloppait tout et même l'air conditionné peinait à rafraîchir la pièce.

Il revint de la salle de bains, le regard toujours fixé sur la statuette. Son pied heurta un coussin et Franck trébucha. Son verre s'envola et se brisa juste devant le lit.

– Merde ! lança le guide, contemplant le tapis trempé et le sol jonché de bouts de verre.

Il s'agenouilla pour ramasser les débris. Il posa délicatement les plus gros dans le creux de sa main gauche, puis alla les jeter. Il revint s'occuper du reste. Debout devant le lit, il se frotta le front de l'index. Un minuscule éclat s'était incrusté dans la chair de son doigt. Le frottement enfonça le bout de verre qui entama l'épiderme et fit perler un peu de sang. La perle rouge grossit et prit la forme allongée d'une goutte. Sans que Franck n'y prenne garde, elle se détacha et tomba sur le front de la statuette.

Soudain, tout se figea.

Le silence se fit. Plus un bruit. Le ronronnement du climatiseur, les sons étouffés de la grande ville, les cris lointains des télévisions à travers les murs, on n'entendait plus rien. Dehors, un nuage très noir, solitaire, glissa devant la lune, assombrissant les alentours. L'électricité disparut, plongeant la chambre de Franck et le reste de l'hôtel dans l'obscurité la plus totale.

– Manquait plus que ça, chuchota le guide, suçotant son doigt pour stopper le sang. Je vois que ça ne s'arrange pas dans cette ville !

Bizarrement, il n'osait élever la voix. La pièce était noire et glacée, alors que l'air conditionné s'était éteint depuis quelques instants déjà. D'habitude – car les coupures de courant étaient fréquentes au Caire –, la chaleur pénétrait aussitôt.

Frissonnant, Franck s'approcha à tâtons de la commode où il gardait toujours des bougies.

Dans le silence profond, il entendit un craquement sec. Puis un autre. Quelque chose venait de se briser.

Alors, les chats du Caire se mirent à hurler, tous ensemble.

Le vacarme était infernal, crispant, affolant. Feulements, cris, miaulements étranglés retentissaient dans le quartier. Le tintamarre dura au moins dix minutes puis les chats se turent et la lumière revint. Le climatiseur se remit en marche avec un « clonk » sonore. Hagard, Franck contemplait la chambre, une bougie éteinte à la main, grelottant de froid.

La statuette gisait au milieu du lit, ouverte en deux, vide.

– Ah non, monsieur Franck, ce n'est pas possible ! Vous aviez dit cinq étoiles, deux bars, une piscine et un jacuzzi et on se retrouve dans un gourbi dont ne voudrait pas un clochard du métro !

La dame était écarlate et s'épongeait le front. Elle faisait partie du groupe de huit archéologues à la retraite qui profitaient de leurs loisirs pour allier tourisme et fouilles. Ils avaient creusé la terre leur vie entière mais n'avaient pas épuisé le plaisir de la recherche d'antiquités. Passionnés d'égyptologie, ils passaient quasiment tout leur temps sur les sites. Ils avaient entendu parler de Franck, ce jeune guide qui connaissait si bien la ville et ses environs. Même s'ils n'osaient se l'avouer, ils espéraient à chaque voyage tomber sur un monument peu visité, ou mieux encore, totalement inconnu. Il ne fallait certes pas trop rêver.

Bien sûr, l'Égypte regorgeait de tombes, de mausolées, de bâtiments funéraires de toutes sortes. Et chaque année, des découvertes majeures avaient lieu, souvent juste à côté de chantiers très fréquentés. Mais ces trésors étaient réservés en priorité aux chercheurs locaux et aux égyptologues français, allemands ou américains. Surtout à ceux qui avaient les moyens de mobiliser ouvriers et spécialistes de longs mois durant.

En outre, à leur âge, ces archéologues n'avaient plus la résistance nécessaire pour passer des heures courbés sur un morceau d'argile. Habitués pendant des années à sacrifier leur confort à leur passion, ils avaient envie aujourd'hui d'être mieux logés. C'est pourquoi cet établissement miteux ne les satisfaisait pas. Ils s'étaient rassemblés dans le hall de l'Hôtel Süleyman, un vieux palais datant de l'Empire ottoman, plein de charme mais pas vraiment confortable : les commodités modernes avaient été rajoutées sans grand succès.

En général, Franck parvenait à persuader ses protégés que cet hôtel était nettement mieux que le Hilton standard, qu'ils ne trouveraient jamais un tel raffinement ailleurs, que dormir dans un vrai palais des Mille et Une Nuits valait bien quelques robinets défectueux. Mais là, il le sentait mal. Cette femme semblait être le porte-parole du groupe.

Bon, au moins, il n'aurait pas à se soucier des autres.

– Silence, je vous prie, dit-il d'une voix forte en levant haut les bras. Estimez-vous heureux de ne pas dormir à la Cité des Morts[2]. C'est la super haute saison, tout est complet, et en plus, il y a deux congrès internationaux. J'ai été prévenu au dernier moment, il a bien fallu aviser. Cet endroit est classé et il a accueilli les derniers sultans turcs et d'autres dignitaires moyen-orientaux. C'est quand même le jour et la nuit avec un Sheraton quelconque ! Posez vos bagages, allez vous installer au bar autour de la fontaine, des rafraîchissements vous y attendent. Et des petites douceurs dont vous me direz des nouvelles. J'arrive dans deux minutes.

La mention de la nourriture agit tel un aiguillon et les archéologues, affamés, se dirigèrent comme un seul homme vers la fontaine et son maigre filet d'eau.

– Non, pas vous, madame Simonet.

Franck l'attrapa par le bras et l'attira à l'écart. La femme était raide et lui présentait un visage fermé.

– Alors, qu'est-ce qui ne va pas ? Écoutez, il y a quelque chose que je n'ai pas encore dit. Vous allez être la première à le savoir. Voilà, si je vous ai emmenés dans cet hôtel, certes moins luxueux que

---

2. Cimetière situé au cœur de la ville, où s'est installée une population déshéritée.

prévu, c'est parce que j'y ai des relations. Un ami du cousin du gérant travaille au ministère des Monuments historiques. Et il m'a confié une information qui vaut de l'or. Vous êtes tous d'anciens chercheurs en égyptologie, n'est-ce pas, madame Simonet ?

– Vous le savez bien. Mais ce n'est pas une raison pour nous emmener dans un hôtel qui a l'air d'être lui-même une antiquité !

– Chère madame… Tout de suite les grands mots ! Restons calmes et écoutez : ce dont il est question, c'est d'un mausolée inviolé ! Vous vous rendez compte ? Un chantier secret dont pratiquement personne n'a entendu parler. Aucun étranger n'a encore été autorisé à l'examiner. Même pas le département égyptien du Louvre ! *Nobody*, *nada*, personne. C'est bien ce que vous autres cherchez depuis des années, non ? En tant que spécialistes, vous devriez être comblés par cette opportunité. Ça vaut la peine de sacrifier un peu de son confort, pas vrai ?

Mme Simonet resta songeuse devant cette évocation. Bien sûr, elle et ses camarades auraient payé cher pour avoir enfin la chance d'entrer les premiers dans un site inexploré. Quelle émotion, après quarante ans de fouilles sans découvertes majeures, de pouvoir admirer avant tout le monde la tombe d'un grand prêtre, d'un haut dignitaire, ou même, summum pour un égyptologue, la dernière demeure d'un pharaon ou d'une reine !

– Ça va pour cette fois. Mais ce chantier a intérêt à tenir la route, mon jeune ami. Sinon, vous aurez de mes nouvelles, vous pouvez me croire.

Très digne, la femme se leva et alla rejoindre le groupe. Franck l'observa un moment et sourit. Cela ne s'annonçait pas si mal, finalement.

Le lendemain matin, le guide, attablé pour le petit déjeuner, lisait la presse en anglais. Absorbé par sa lecture, il sursauta violemment quand quelque chose de mou et de lourd atterrit au beau milieu de ses loukoums[3]. Il lâcha son journal et regarda, écœuré. Le corps d'un rat sans tête et tout sec, comme vidé de son sang, trônait sur le plateau. Même décapitée, la bête était énorme, trois fois la taille des petits rongeurs parisiens.

Bouche bée, un filet de café lui dégoulinant de la lèvre inférieure, Franck leva la tête pour faire face à une Mme Simonet livide, les bras sur les hanches, entourée du groupe des archéologues dégoûtés.

– Un peu moins luxueux, hein ? Et cette horreur répugnante que j'ai trouvée dans ma salle de bains, dont la douche, entre parenthèses, ne fonctionnait pas, c'est un peu moins luxueux, ça on peut le dire !

Le jeune homme s'essuya la bouche sans quitter des yeux le cadavre. Il héla un serveur. Un garçon d'une quinzaine d'années arriva avec un seau. Il

3. Confiseries orientales très sucrées.

empoigna le rat par sa longue queue annelée et le souleva en grimaçant.

– C'est bon, Ahmed, dégage avec ce rat, lui intima fermement Franck en arabe. Très bien, on ne s'énerve pas. Je vais dire au personnel de traiter les chambres. Il s'agit sans doute d'un chat. C'est la guerre entre félins et rongeurs par ici... Allez, l'incident est clos. On se retrouve dans une heure et direction Gizeh, ajouta-t-il en se levant. En effet, les archéologues ne manquaient jamais d'aller admirer les trois pyramides, Khéops, Khéphren et Mykérinos, les plus grands tombeaux du monde, à chacune de leurs visites en Égypte.

Le guide se rua dans le bureau du gérant de l'hôtel.

– Eh, Omar, c'est quoi ce cirque ? Ton personnel ne nettoie plus ?

– Écoute, Franck, il se passe des choses bizarres. On a découvert deux autres cadavres desséchés. Aucun chat ne suce le sang de ses proies. C'est louche. Et ce truc, hier soir, tu as entendu... Les employés commencent à avoir peur, ce n'est pas normal tout ça...

– Enfin, ils ont déjà vu des rats, non ? Ce n'est pourtant pas ce qui manque dans cette ville !

– Et pour le chantier secret ?

– Justement, parlons-en. Je veux les emmener aux fouilles demain soir. Tout à l'heure, pendant la visite des pyramides, je leur présente l'affaire et en fin de journée, on organise une petite fête.

– Pas de problème, ne t'en fais pas. L'ami de

mon cousin a vu le chantier, il paraît que c'est grandiose. Plus imposant que le tombeau de Toutankhamon, plus impressionnant que celui de Ramsès II, plus…

– Oui, d'accord, ça va. Pense plutôt à dératiser les chambres *fissa*[4].

La visite des pyramides eut l'effet escompté. Bien qu'au cours de leur carrière, ils aient eu l'occasion de les contempler des dizaines de fois, les scientifiques à la retraite ressentaient toujours la même émotion face aux ruines majestueuses.

Fatigué et encore émerveillé par le spectacle magique, le groupe était réuni dans le hall de l'hôtel autour d'un buffet. Tout le monde était d'accord avec la proposition de Franck. Pour mille francs par personne, il les emmènerait sur le site ignoré. Ils seraient ainsi les premiers archéologues étrangers à découvrir le sarcophage et peut-être la momie d'un dignitaire ou, mieux encore, d'un pharaon oublié !

Après quelques verres, Mme Simonet avait les yeux brillants et son maintien n'était plus très assuré. Elle se dirigea en titubant légèrement vers les étages, donnant le signal du départ général.

Le guide suivit le groupe. Mais en arrivant devant sa chambre, il en trouva la porte ouverte. Alerté, il se colla contre le mur, et glissa à l'inté-

4. En arabe : vite.

rieur un coup d'œil circonspect. Une petite forme sombre était assise dans la pénombre. C'était le vieil antiquaire. Franck entra et alluma la lampe.

– Non, éteins, murmura le cheikh. Certaines choses ne doivent pas être évoquées en pleine lumière…

– Yusuf, qu'est-ce qui se passe ? J'allais passer te payer pour les objets et…

– Silence ! La statuette que tu as trouvée chez moi, où est-elle ?

Son ton n'était pas amical.

– Euh, en fait, je l'ai cassée. Pour être plus précis, elle s'est brisée toute seule.

Il lui tendit les deux parties de la sculpture en argile séchée.

– Et ce qu'il y avait dedans ? Dis-le-moi !

– Mais je n'en sais rien, lui avoua Franck presque en criant.

Il lui raconta comment il avait cassé le verre et s'était coupé le doigt. Puis le silence qui avait suivi, et la réaction bruyante des félins du Caire. Dans la semi-obscurité, les yeux noirs du marchand brillaient comme des lampions.

– Très mauvais. D'abord ces fouilles, cet objet inconnu ensuite. Et ces animaux qui se mettent à hurler. Les anciens Égyptiens vénéraient Bastet, la déesse à tête de chat, qui était parfois représentée sous la forme de cet animal. Elle était connue pour protéger les humains contre les esprits mauvais. C'est pourquoi on pense souvent que ces bêtes ont un lien avec le monde invisible. Aujourd'hui, elles nous préviennent que quelque chose de malsain est revenu à la vie. Examine ça, lança-t-il en jetant une espèce de peau tannée sur le lit. Un cadavre de chien, sans tête et complètement sec. L'être qui tue les rats s'attaque maintenant aux animaux plus gros. Ça signifie qu'il grandit… Il faut aller voir sur le site.

– Eh bien, justement, je voulais t'en parler. Je dois emmener mon groupe sur le chantier la nuit prochaine.

– Je ne sais pas encore de quoi il s'agit, mais j'ai le sentiment que c'est très dangereux. Ceux qui ont ouvert ce tombeau ont été imprudents. Ils ont peut-être libéré une force issue des temps anciens. Franck, tu ne devrais pas aller là-bas. Et encore moins y emmener ces gens, même si ce sont de bons connaisseurs de l'Égypte antique.

– J'y suis obligé. Plus moyen de reculer. Je leur ai fait miroiter une visite unique, si j'annule, ils vont me lyncher !

– Dans ce cas, je viendrai avec toi. Ma connaissance des langues oubliées pourrait t'être utile.

L'endroit était situé dans la banlieue du Caire, pas trop loin de Gizeh, juste à la lisière du désert oriental. Les grands tombeaux dominaient de leur masse les alentours, éclairés par une lune énorme et jaune.

Le groupe tremblait d'excitation. Les archéologues avaient du mal à rester silencieux. Ils allaient découvrir un site inexploré depuis des millénaires et respirer un air vieux de plusieurs centaines de siècles, le rêve de tout chercheur féru d'égyptologie.

Ils empruntèrent une ruelle et débouchèrent sur une petite maison semblable à n'importe quelle autre. Ils ouvrirent une vieille porte en bois à la peinture écaillée et descendirent des marches de terre battue pour arriver dans une galerie éclairée par des torches fixées au mur. Le groupe avança de quelques mètres avant d'accéder à une pièce dans laquelle les attendaient des ouvriers égyptiens, envoyés pour les guider jusqu'à la salle principale. Les couloirs qu'ils prirent étaient connus et entretenus. Ils faisaient partie d'un vaste secteur enterré sous le sable des faubourgs cairotes. Parmi les retraités, trois archéologues avaient eux-mêmes participé à la création de certaines de ces galeries.

L'endroit secret avait été découvert par un jeune universitaire égyptien distrait, qui s'était égaré dans le labyrinthe que formaient les boyaux creusés dans la terre. Il avait poussé ce qu'il croyait être une porte de communication entre deux pièces et s'était retrouvé dans l'extraordinaire mausolée. Le silence profond et le froid étrange du lieu l'avaient un peu effrayé et il était aussitôt allé chercher des responsables. Ceux-ci avaient été ahuris de constater qu'ils étaient passés des dizaines de fois devant cette ouverture sans la remarquer… Mais l'enthousiasme suscité par cette trouvaille avait balayé leur méfiance.

Les flambeaux allumés dans le tunnel dégageaient une fumée noire qui irritait les yeux. Les ombres s'allongeaient sur les murs sableux, révélant par intermittence des dessins gravés dans la pierre. Le vieil antiquaire s'en approcha et scruta ces inscriptions à la loupe.

– Ça confirme mes soupçons. Ces signes disent que Celui-Qui-Ne-Peut-Mourir a été enfermé dans les environs. Ce prêtre vivait sous la IVe dynastie[5]. Il a créé un culte parallèle dédié aux esprits maléfiques. Ceux-ci l'auraient récompensé en lui conférant le don d'immortalité. Mais la hiérarchie religieuse de l'époque a découvert ces pratiques impies et, pour l'empêcher de nuire, les dignitaires de la religion officielle l'ont fait momifier vivant. Les hiéroglyphes racontent qu'on l'a ensuite rétréci grâce à un procédé oublié, et enfin enfermé dans un réceptacle.

Après un silence, Yusuf poursuivit :

– Les derniers idéogrammes[6] prédisent horreur et damnation à quiconque fera sortir le prêtre maudit de sa prison.

Son regard se posa sur Franck, qui se mit à bredouiller :

– Eh, attends… Je n'ai rien à voir là-dedans ! Ce sont ceux qui ont commencé les fouilles, trouvé

5. Sous cette dynastie (2625 à 2510 av. J.-C.), régnèrent, entre autres, Khéops, Khéphren et Mykérinos.

6. Signes graphiques qui représentent le sens du mot et non les sons.

cet objet et qui l'ont fait sortir, sans doute pour le revendre, qui sont coupables. Pas moi !

Plusieurs archéologues vinrent également étudier les signes. L'un d'eux, spécialiste de cette écriture figurative, confirma l'analyse de Yusuf. Mais le scientifique, à la différence du cheikh, se moqua ouvertement d'une telle hypothèse :

– C'est une malédiction étrange mais assez grotesque. Qui est donc cet être « qui ne peut mourir » ? Est-ce une allusion au caractère divin, et donc immortel, du pharaon ? Dans ce cas, cela ne peut s'appliquer à un simple prêtre, aussi important soit-il. De plus, personne n'a jamais vu de corps « momifié puis rétréci ». Les Indiens Jivaros d'Amazonie faisaient cela avec la tête de leurs ennemis, mais le corps tout entier, c'est impossible. Quel tissu de bêtises !

Yusuf se tourna vers l'homme, les yeux étincelants de colère. Il allait lui rétorquer quelque chose quand une sorte de hululement lugubre se fit entendre, tandis qu'un courant d'air glacé s'engouffrait dans le couloir. Tous se figèrent.

Yusuf tendit l'oreille et chuchota à Franck :

– Et ça, c'est une bêtise, peut-être ? Il se rapproche. Il faut sortir de cet endroit en vitesse.

Les archéologues ne riaient plus. Aussi cartésiens fussent-ils, ce cri horrible les avait terrorisés. Aucune voix humaine n'aurait pu produire un son aussi effrayant.

Des bruits de raclements et de frottements, entrecoupés de râles sourds, arrivaient depuis la galerie. On sentait qu'une créature imposante se déplaçait lentement vers le groupe. Une odeur de papier moisi se répandit dans le couloir, et un souffle glacial fit frissonner tout le monde. L'obscurité amplifiait le brouhaha et les imaginations travaillaient à pleine puissance. Soudain, un beuglement monstrueux retentit, tout proche.

Complètement affolés, les ouvriers censés amener les visiteurs à destination se précipitèrent dans une des galeries en marmonnant des prières en arabe. Les scientifiques, décontenancés et alarmés, se regardaient, ne sachant quelle attitude adopter. Leur esprit rationnel et leur instinct leur envoyaient des messages contradictoires. Le premier les assurait que pareille chose n'existait que dans les films d'épouvante, tandis que le second leur hurlait de fuir. C'est ce dernier qui l'emporta : les archéologues perdirent leur calme et s'égaillèrent dans les couloirs.

Hélas, dans la panique, certains s'engouffrèrent directement dans le boyau d'où étaient parvenus les sons étranges et menaçants. Seuls six membres du groupe, dont Franck, Yusuf et Mme Simonet, étaient restés sur place, réussissant à garder un minimum de sang-froid.

Tout à coup, des plaintes leur parvinrent, ainsi que des bruits de lutte. Atterrés, ils attendirent en silence, incapables d'articuler un mot. Visiblement, la peur avait été mauvaise conseillère. Plusieurs minutes s'écoulèrent ainsi, dans la lumière tremblante des flambeaux. Puis ils entendirent des pas se rapprocher. Leurs amis arrivèrent en courant, certains couverts de sang. Ils avaient les yeux exorbités et le visage livide.

Ils ne s'arrêtèrent pas en rejoignant leurs camarades mais les bousculèrent comme s'ils étaient invisibles. Derrière eux se dessinait une grande silhouette avançant lourdement. Les six comprirent aussitôt et emboîtèrent le pas à leurs infortunés compagnons.

Le groupe déboucha dans une vaste salle voûtée de forme circulaire. Pour éviter les curieux, l'électricité n'avait pas été installée jusque-là. Les chercheurs travaillaient à la lampe à pétrole et à la torche. Quelques ouvriers locaux buvaient le thé dans un coin, profitant de la fraîcheur de la nuit pour avancer les travaux. Contre le mur circulaire, des sarcophages finement ouvragés contenaient des restes de bandelettes et d'os. Au sol, des fils tendus délimitaient les endroits à fouiller.

Ces hommes virent débouler une troupe de gens hagards, bavant, sanguinolents et épouvantés. Ils se pressèrent contre la paroi opposée à l'ouverture et attendirent. On n'entendait plus que les pleurs, les sanglots et les gémissements de ceux qui avaient rencontré le monstre. Certains étaient grièvement blessés, d'autres moins, mais tous étaient choqués.

– Restez ici. Ne bougez pas. Cette chose attend dans le couloir. Mais d'après les hiéroglyphes, elle ne peut pas rentrer. Car c'est ici l'endroit où elle a subi sa transformation et le sortilège est encore suffisamment puissant pour la tenir éloignée.

La voix grave de Yusuf lança ces avertissements d'un ton ferme en arabe. Franck traduisit pour ceux qui ne comprenaient pas. Cette fois, personne ne fit mine de remettre en cause l'autorité du vieil antiquaire.

– Si elle s'attaque aux humains, c'est qu'elle a grandi. Elle se gorge de sang et se fortifie. Bientôt, il ne sera plus possible de lutter contre elle.

Le cheikh était assis par terre, l'air effondré. Franck s'accroupit près de lui, tremblant et transpirant.

– Yusuf, qu'est-ce que c'est ? C'était dans ma statuette, c'est ça ? D'où vient cette horreur, pourquoi massacre-t-elle les êtres vivants pour les sucer ensuite comme un vampire ? Pourqu…

– Franck, elle te cherche. C'est ton sang qui a dû la réveiller. Elle est venue jusqu'ici pour te trouver. C'est la raison pour laquelle elle a négligé les millions d'habitants du Caire. Elle s'est d'abord attaquée aux animaux car elle n'était pas assez forte pour t'affronter. Pour retrouver toute sa puissance, Celui-Qui-Ne-Peut-Mourir doit d'abord te tuer et se remplir de ton énergie vitale. C'est ça que les esprits mauvais lui ont appris : comment transformer le sang en élixir d'immortalité ! Puis, son premier sacrifice accompli, il pourra prendre d'autres vies et recréer son culte infâme. Pour l'instant, il ne peut pénétrer dans ce sanctuaire. Le charme opère toujours. Ce monstre ne peut être tué, mais on peut le contenir, comme l'ont fait les anciens prêtres. Personne ne s'est donné la peine de déchiffrer les signes sur les murs. Pourtant, tout y est clairement expliqué… Pourquoi ne m'ont-ils pas appelé ? Ces scientifiques croient tout savoir, mais ils sont bien loin d'avoir percé les mystères du lointain passé. Franck, tâche de calmer ton groupe pendant que je continue à lire ces hiéroglyphes. Les explications devraient nous aider à enfermer à nouveau cette abomination.

Pendant que Yusuf parlait, les égyptologues gémissaient, pleuraient, ou se tenaient prostrés sur le sol poussiéreux de la crypte. Leur esprit rationnel n'avait pas résisté devant l'Inconnu. Les ouvriers et les archéologues égyptiens priaient en arabe, les yeux clos, les doigts serrés sur leur chapelet. Mme Simonet elle-même avait abdiqué toute dignité et répétait sans cesse « mon Dieu, mon Dieu ».

Le vieux cheikh, penché sur les idéogrammes, marmonna :

– Invoquer le Dieu des chrétiens ou des musulmans ne servira à rien. L'être dissimulé dans l'obscurité n'a rien à voir avec ces cultes. Il est bien plus ancien. Seul un sortilège prononcé dans la langue de son époque peut le contrôler.

– Dépêche-toi de trouver, Yusuf, j'ai l'impression qu'il se rapproche, murmura Franck, complètement livide lui aussi.

En effet, des raclements se faisaient entendre de plus en plus près.

Soudain, le silence se fit et la créature entra dans

la lumière mouvante projetée par les torches et les lampes.

Celui-Qui-Ne-Peut-Mourir était une momie de plus de deux mètres cinquante de haut, aux orbites vides. Les bandelettes à moitié pourrissantes laissaient apparaître par endroit une sorte de cuir presque noir. Du sang dégouttait doucement de la bouche, trou rond dont le tour était orné d'une multitude de petites dents pointues. On aurait dit celles d'une lamproie.

La chose n'émettait aucun bruit. Une odeur de vieux papier, de parchemin poussiéreux, se répandit dans la tombe. Et le froid qui émanait du mort vivant s'insinua dans les membres des humains terrifiés, les engourdissant davantage.

Ils se serrèrent les uns contre les autres. La terreur leur faisait oublier leurs différences. Chacun touchait son voisin ou sa voisine, cherchant dans la chaleur des corps la preuve qu'ils étaient toujours vivants.

La momie hésitait sur le seuil.

Une sorte de ligne invisible la retenait encore. Pour combien de temps ? Il lui manquait juste un peu de pouvoir pour affronter le charme. Lorsqu'elle l'aurait acquis, elle festoierait du sang chaud de cet humain qui avait brisé sa malédiction, puis de celui de ses compagnons. Plus de quatre mille cinq cents ans après avoir été réduite à l'impuissance, elle serait de nouveau libre de semer la destruction dans le monde des êtres vivants.

Soudain, les orbites vides se mirent à rougeoyer. La chose étendit ses bras maigres terminés par de

longs doigts griffus. Une sorte de chant rauque sortit de sa bouche hideuse. Yusuf cessa de déchiffrer les inscriptions et leva la tête, alarmé.

– Attention, bouchez-vous les oreilles, vite !

Il mima le geste pour les Français, Franck l'imita aussitôt.

– Il ne faut pas écouter ça. Il ne faut…

L'avertissement arriva trop tard pour l'un des archéologues qui se redressa d'un coup puis marcha, le corps raidi, droit vers la momie. Les yeux clos, il commença à avancer d'un pas saccadé, devant les visages médusés de ses compagnons qui tentaient maladroitement de se boucher les oreilles pour échapper au maléfice. Yusuf poussa Franck :

– Arrête-le ou il est mort. Retiens-le !

Le guide comprit la mimique de son ami. Tout en conservant les mains plaquées sur ses oreilles, le jeune homme tendit le pied et fit trébucher la victime. En tombant, celle-ci sembla se réveiller d'un rêve profond et éprouvant.

La créature, frustrée de sa proie, interrompit son lugubre monologue.

Les orbites toujours rougeoyantes telles des braises, elle abaissa ses longs bras osseux, tourna lentement la tête d'un côté puis de l'autre, comme si elle étudiait attentivement chaque personne présente.

Son masque hideux se figea face à Yusuf, qui continuait à déchiffrer de son mieux les inscriptions sur les parois.

Le vieux boutiquier était parvenu au terme de sa traduction. Le texte évoquait la déesse Bastet et sa protection contre les créatures mauvaises. Le cheikh possédait désormais l'incantation susceptible de replonger Celui-Qui-Ne-Peut-Mourir dans son sommeil éternel.

La momie sembla comprendre le danger. Poussant un rugissement effroyable qui fit vibrer le tombeau entier, elle se rua sur le mur invisible qui tint bon. Elle recommença sa charge. À la troisième tentative, elle franchit l'obstacle.

La panique gagna la troupe. Français et Égyptiens se mirent à courir en tous sens comme des fourmis sous la menace d'un pied humain.

Yusuf prit conscience du péril et entonna la mélopée destinée à renvoyer le mort vivant à son néant. Franck comprit que leur sort dépendait de la capacité du vieil antiquaire à prononcer sa formule jusqu'au bout. Il rassembla ses compagnons pour qu'ils retardent le monstre, afin de permettre à Yusuf de jeter son sort dans sa totalité.

– Restez ici ! Faites bloc devant Yusuf : lui seul peut nous sauver. Il faut ralentir cette horreur, vite !

Montrant l'exemple, le guide agrippa l'une des jambes recouvertes de bandelettes et tenta de freiner ainsi la chose qui se dirigeait bras tendus vers l'antiquaire, son effroyable bouche s'ouvrant et se fermant spasmodiquement.

Semblant recouvrer ses esprits, Mme Simonet attrapa la seconde jambe et la serra énergiquement, se laissant traîner sur le sol poussiéreux. Enrayée dans sa progression, la créature se pencha sur les deux humains, les souleva de ses longs bras maigres mais puissants et les envoya valser contre le mur de la crypte.

Impressionnés par le courage de leur guide et de la femme, les autres membres du groupe se jetèrent à leur tour sur le monstre, suivis des ouvriers et des archéologues égyptiens. Sous le poids conjugué de tous ces corps, la momie vacilla, plia un genou, puis deux.

Pendant ce temps, Yusuf continuait à faire résonner l'interminable envoûtement. Furieux de rencontrer pareille résistance, Celui-Qui-Ne-Peut-Mourir écarta les humains qui tentaient de le retenir comme on se débarrasse d'insectes importuns. Il les saisit, les souleva sans effort puis les projeta au sol ou contre les parois. Assommés, certains ne purent se relever. Sa force était démesurée et ses victimes, malgré leur vaillance, ne faisaient que le ralentir dans sa progression.

Le tumulte était à son comble dans le tombeau oublié.

Cris, gémissements, voix forte de Yusuf, hululements gutturaux du monstre : le bruit était infernal. Le nombre des combattants valides diminuait et ceux qui résistaient encore commençaient à se fatiguer. Celui-Qui-Ne-Peut-Mourir se rapprochait dangereusement du vieil homme qui égrenait toujours les paroles magiques.

Une forme grise pénétra soudain dans la pièce

ronde, suivie de trois autres, noires, puis de deux blanches, et d'autres corps souples recouverts de fourrure. Les chats du Caire !

En quelques instants, la pièce circulaire fut remplie de dizaines de félins qui se ruèrent sur la momie, recouvrant son immense silhouette d'un manteau vivant. Surprise, la créature s'affaissa sous le poids des animaux qui continuaient d'arriver par la sombre galerie et disparut complètement, submergée par la masse grouillante.

Profitant de cette diversion, les rescapés aidèrent leurs compagnons blessés, portant, soulevant, tirant comme ils le pouvaient pour fuir le lieu du combat. Pendant ce temps, les chats déchiraient les bandelettes de la créature, griffaient sa figure difforme, arrachaient des lambeaux de cuir noirâtre. Vifs et rapides, ils évitaient les coups du monstre et le mettaient en pièces.

Seul être humain encore présent dans la salle, Yusuf leva alors les bras, rejeta la tête en arrière et prononça les ultimes paroles de l'incantation d'une voix forte et claire.

Une lumière aveuglante illumina le tombeau, la sensation de froid disparut et avec elle l'odeur de vieux papiers moisis. Les chats se dispersèrent peu à peu, courant dans les couloirs pour retrouver l'air libre.

Sur le sol de la crypte, une momie miniature agitait faiblement ses membres blessés. Dans ses petites orbites, un feu rouge continuait de couver.

Épuisé et blême, le vieil antiquaire se laissa

glisser contre le mur. Le dernier chat, un énorme matou noir, se dirigea doucement vers la sortie. Puis il s'immobilisa, tourna la tête comme s'il avait oublié quelque chose et revint sur ses pas. Il attrapa dans sa gueule la minuscule chose gesticulante, et fila telle une flèche sombre dans la galerie.

Franck et Yusuf accompagnèrent le groupe à l'aéroport. Tous étaient tombés d'accord pour inventer une histoire plausible : un éboulement dans le chantier de fouilles avait causé les blessures des retraités.

Personne ne parlait. Il faudrait du temps pour que certaines visions désertent les esprits choqués des égyptologues.

Après le départ de l'avion, le guide et le cheikh prirent un taxi pour rentrer en ville. Arrêtés à un feu rouge, ils observèrent en silence un gros chat noir qui jouait avec une vieille poupée couverte de bandelettes sales.

Et si…

d'Emmanuel Viau et Émile Desfeux
illustré par Christophe Quet

Départ pour l'inconnu

– C'est… fantastique !

Albert, les larmes aux yeux, serre fortement la main de Magali, sa femme. Devant eux, Van Birring, un archéologue avec qui ils ont sympathisé pendant le voyage en avion, s'apprête à faire ouvrir la pyramide de Péluse.

Albert est un fan de l'Égypte antique. Depuis qu'il est enfant, il a dévoré toutes les encyclopédies et tous les livres de spécialistes sur le sujet, vu tous les films, acheté tous les cédéroms, et il a même appris l'égyptien ancien ! Mais jamais il n'était venu au pays des pharaons… Le séjour offert par Magali, pour son anniversaire est réellement fabuleux. D'autant plus fabuleux que tous deux vont être aux premières loges pour assister à l'ouverture de l'édifice.

De la pyramide, seul le sommet, émergeant de la vase, est visible. Sur les passerelles sommaires qui entourent le cône, la chaleur est insoutenable. Le soleil tape sans retenue et la réverbération force les trois Européens à plisser les yeux malgré leurs lunettes teintées.

– Comment va-t-on entrer là-dedans ? demande Magali, impressionnée par le lieu.

– Il faut d'abord dégager ce bloc-là…

Van Birring désigne une imposante pierre qui constitue la pointe de la pyramide ensevelie. Albert, de son côté, se masse le visage. Son nez est bouché, ses sinus sont complètement pris, et sa gorge le démange… « L'air conditionné de l'avion… » se dit-il machinalement. Tandis qu'il se mouche, il observe avec intérêt le bloc de pierre. Un hiéroglyphe à demi effacé attire son attention.

– Regardez, il y a écrit *Shai*… « Destin » !

Van Birring fronce les sourcils. Il scrute un moment l'inscription avant de répondre :

– Mais non, pas du tout, ça signifie « commencer »… C'est la même racine, mais ce n'est pas le même mot.

Albert, sûr de son fait, s'abstient pourtant de contredire son hôte. Pendant ce temps, des ouvriers manœuvrent le palan qui doit soulever le bloc. Avec un bruit assourdissant, le cône se sépare du reste de l'édifice.

Albert, très ému, regarde sa montre pour se souvenir de l'heure de cet événement exceptionnel : il est exactement 11 h 35. Il relève ses manches pour prêter main forte, il s'approche… Il entend Magali lui dire de faire attention. L'archéologue l'avertit aussi. Trop tard ! Le sol se dérobe sous ses pas. Albert veut reculer, mais il tombe et glisse sur le dos. Il tente de se retenir désespérément aux parois…

– Albert, Albert !

Les cris de Magali n'y peuvent rien. Le jeune homme tombe dans l'ouverture béante de la pyramide. La chute dans l'obscurité poussiéreuse est rapide.

Albert atterrit bientôt sur quelque chose de mou. Le cœur battant, il commence par vérifier qu'il n'a rien de cassé. Une fois rassuré, il constate qu'il a eu de la chance : un lit de sable a amorti sa chute. Il jette un regard vers le haut. Il veut appeler Magali et Van Birring, les prévenir que tout va bien, qu'il est sain et sauf. Mais à sa grande terreur, ils sont en train de replacer la pierre. Il hurle de toutes ses forces :

– Hé, ça va pas ?! Je suis là-dedans ! Faites-moi sortir de là !

Le mouvement du bloc s'arrête. Des têtes apparaissent en contre-jour sur les bords de l'ouverture. Une corde ne tarde pas à dégringoler près d'Albert.

Après des efforts presque surhumains, il finit par faire surface et s'écroule par terre.

Dehors, des ouvriers à demi nus l'entourent et se penchent sur lui. Ils parlent une langue incompréhensible. Stupéfait, le Français se lève d'un bond. Qui sont ces gens qui le dévisagent avec effarement ? Où sont Van Birring et Magali ? Et le paysage qui a changé… Où se trouve-t-il donc ?

Il est sur un échafaudage, au sommet d'une pyramide flambant neuve, dominant la plaine de ses vingt mètres de haut. Ses parois sont recouvertes de décorations polychromes. Tout autour s'étendent à perte de vue des marécages où poussent anarchiquement papyrus et herbes des marais. Des nuées de hérons et de flamants se posent et s'envolent sans cesse dans un ballet féerique. En bas, des embarcations sont amarrées à un quai flottant qui entoure la base de l'édifice. Un seul chemin, courant sur une digue de terre, s'éloigne vers l'horizon.

Albert ne comprend plus rien, il a l'impression de faire un mauvais rêve. Il cherche encore des yeux la silhouette de l'archéologue. En vain. Les ouvriers achèvent la construction du tombeau, en posant le dernier bloc de pierre. En lettres noir et or, gravé et fraîchement peint, brille le mot *Shai*.

Albert interpelle ces étrangers en anglais, en français, en égyptien ancien… sans résultat. Ils semblent sourds à tout dialogue et continuent de le montrer du doigt en reculant.

Parcouru de frissons, le jeune homme descend

peu à peu des échafaudages, complètement hébété. Il cherche un endroit vers lequel se diriger – mais où aller lorsqu'on est dans un lieu où l'on n'est pas supposé être ? Il aperçoit soudain un nuage de poussière qui monte à l'horizon. Rapidement, les fines particules emplissent l'atmosphère tandis qu'un roulement de tonnerre fait vibrer le sol. Des chars de guerre apparaissent bientôt, les roues hérissées d'impressionnantes lames.

Albert, de plus en plus dépassé par les événements, voit les maçons acclamer les fiers soldats sur leurs attelages meurtriers. Les ouvriers abandonnent leurs outils dans le marécage et fraternisent avec la troupe. Albert a l'impression qu'ils parlent la même langue. Trois militaires s'approchent de l'inconnu en brandissant leurs lances. Sans avertissement, l'un d'eux jette son arme vers le Français. Celui-ci bondit sur le côté, et la lance se plante dans le sol. Menaçants, les deux autres gardes s'avancent prêts à l'embrocher lorsque, depuis son char, un officier crie un ordre.

Albert sent qu'il n'a pas intérêt à se rebeller. Il éclate d'un rire nerveux : où pourrait-il fuir ? Il se laisse donc attraper et passer une corde autour du cou. On attache le lien à l'arrière d'un char. Devant l'alternative existentielle d'être étranglé ou de courir aussi vite que le véhicule, notre homme sait qu'il vaut mieux choisir la seconde solution. Heureusement, les chevaux qui le tirent ont les jambes courtes et le trot est relativement lent.

Après un temps qu'Albert juge infiniment long, la troupe parvient à un camp militaire. Le prisonnier commence à saisir certaines choses : il n'est plus au XXIe siècle, et il a dû tomber dans une faille temporelle qui l'a envoyé au cœur de l'Égypte ancienne. Il est aux mains de soldats qui ne sont pas égyptiens. Ce dont il est également sûr, c'est que son rhume empire : il a froid et dégouline de sueur. « J'ai la grippe, ce n'est pas possible, j'ai la grippe. » Il se raccroche à cette idée pour ne pas devenir fou. Être malade, c'est normal. Voyager dans le temps, être retenu prisonnier en Égypte antique, cela ne l'est pas.

Un violent choc dans le tibia interrompt le cours de ses pensées. Puis un déluge de coups et de hurlements s'abat sur lui pendant qu'il est détaché pour être enchaîné à un pieu planté dans le sol, à côté d'une tente imposante. Albert n'est pas seul : d'autres prisonniers, visiblement égyptiens, sont déjà là.

Albert s'allonge sur le sable. Son cou, ses pieds, ses poumons, son corps entier ne sont que douleurs qui le feraient hurler, s'il avait suffisamment de souffle pour le faire. L'unique mérite de cette course est qu'elle lui a enfin débouché le nez ! Un de ses compagnons d'infortune, l'entendant haleter, lui donne un peu d'eau.

– Tu gaspilles ton eau, dit un autre détenu. Tu ne vois pas dans quel état il est ? Il va mourir, c'est sûr.

– Il vaut mieux mourir désaltéré qu'assoiffé, répond le premier type.

L'émotion est forte pour Albert. Les deux prisonniers s'expriment en égyptien ancien et, malgré leur accent, il les comprend parfaitement. L'excitation efface sa peur et sa souffrance. Après une quinte de toux, il s'adresse à celui qui l'a secouru :

– Au nom d'Amon le tout-puissant, merci homme charitable ! Où sommes-nous ? Qui sont ces soldats ? Qu'allons-nous devenir ?

Il est si heureux de pouvoir communiquer – même avec ces gens qui vivent dans le passé –, qu'il parle d'une traite pendant une demi-heure, sans s'arrêter. Il raconte tout, sa chute dans la pyramide, le voyage dans le temps. À la fin, il crie presque :

– Je veux revenir chez moi, je veux retrouver ma femme, je veux sortir d'ici !

Les deux Égyptiens restent bouche bée.

– Il est vraiment en mauvais état… chuchote l'un.

– Je pense qu'il est devenu fou, renchérit l'autre.

Et d'un commun accord, ils lui tournent le dos.

Désespéré, Albert se roule en boule sur le sable et essaie de s'endormir pour échapper à tous ses maux. Mais il ne peut s'empêcher d'écouter les hommes qui discutent à voix basse. Cette pyramide fraîchement édifiée au milieu des champs de papyrus… ces uniformes de soldats… et les bribes de phrases qu'il entend finissent par lui donner les détails dont il a besoin pour se situer.

Albert réalise subitement qu'il est retenu par l'avant-garde de l'armée hyksos. « J'y suis… ce sont des envahisseurs asiatiques qui viennent de l'Est. Puissamment armés, inventeurs du char de guerre aux roues pourvues de lames, possédant la technique du fer trempé et des cuirasses, ils vont massacrer les armées égyptiennes, conquérir le pays, réduire le peuple en esclavage et régner pendant deux siècles. Ça signifierait que je suis aux alentours de 1785 avant Jésus-Christ. C'est… c'est tout simplement ahurissant ! », se dit-il avant de se plier en deux, la gorge déchirée par une nouvelle quinte de toux.

Dans la tente des généraux hyksos, les discussions vont bon train. Les militaires rient et se congratulent mutuellement. Sans discontinuer, des messagers arrivent et repartent au galop. Un garde s'approche des prisonniers. Albert le reconnaît et se recroqueville davantage. C'est cet homme qui lui a passé la corde au cou et qui l'a conduit à coups de pied jusqu'au pieu où il est attaché. Ce type a l'air vicieux. Il ne semble cependant pas très bien car il transpire à grosses gouttes. En passant devant Albert, il éternue. Puis, l'apercevant et avant d'entrer dans la tente des généraux, il le frappe violemment à la tête. La dernière chose qu'Albert perçoit avant de s'évanouir, c'est qu'à l'intérieur de la tente résonne un concert de toux et d'éternuements.

La campagne d'Égypte

Lorsqu'il se réveille, Albert est seul. Il est complètement envasé dans un marécage bordant la voie, et sa tête émerge des eaux, retenue par des tiges de papyrus. Volatilisée la tente des officiers, disparus les autres prisonniers, évanouis les fières montures, les chars et les guerriers. Les Hyksos ont abandonné le jeune Français, pensant qu'il n'était plus en vie, et l'ont jeté dans les marais.

Chancelant, Albert s'extrait difficilement de la vase et voit son reflet dans l'eau : son visage est si pâle qu'il pourrait effectivement passer pour mort. Sauf qu'il est bien vivant et qu'il a la ferme intention de retrouver son époque d'origine. Il escalade le talus. La main en visière, il regarde vers l'est : au loin, un nouveau nuage de poussière s'élève comme si un orage se préparait. « Que faire ? s'interroge Albert. Retourner sur mes pas ? Continuer tout droit ? Rester là ? » Il choisit, par instinct, de poursuivre son chemin sur les traces des envahisseurs. Trempé, affaibli, assailli par des hordes de moustiques, il garde malgré tout espoir, pour la simple raison que sa grippe semble s'être envolée en même temps que les Hyksos. Malgré ses contusions et son ventre qui crie famine, pour la première fois depuis qu'il est tombé dans le passé, il se sent bien.

Plus il avance et plus le nuage de poussière grandit à l'horizon. Sur les bords de la route, gisent quantité de cadavres, tous des guerriers hyksos.

Albert se penche sur plusieurs d'entre eux et constate qu'ils n'ont aucune blessure.

– Bizarre..., murmure-t-il.

Une plainte s'élève soudain dans son dos. Un mourant l'appelle. Il s'approche lentement du soldat. Celui-ci, couvert de sueur, a la respiration rauque. Il fait signe qu'il a soif. L'homme n'a pas plus de blessures que les autres. « Malade ? » songe alors Albert, de plus en plus perplexe. Le Français récupère un casque, le plonge dans l'eau des marais. Lorsqu'il revient auprès du moribond, ce dernier s'est éteint. Albert lui ferme les yeux. Il n'ose croire ce qui est en train de se produire...

Pris d'une subite impulsion, il se remet en marche, aussi rapidement que sa fatigue le lui permet. Sur le corps d'un mort, il récupère une outre vide qu'il remplit, et un quignon de pain moisi. Le chemin continue de s'élargir, et les macchabées n'en finissent pas de s'entasser sur les bas-côtés. Albert est excité. Si son intuition est la bonne, quelque chose d'incroyable se passe, quelque chose qui pourrait bien... changer le monde de l'Antiquité !

La route débouche sur une vaste plaine. Là, le nuage de poussière est devenu tempête furieuse. Le fracas que le jeune homme entendait de loin résonne maintenant bruyamment dans ses oreilles. Tout autour de lui, des silhouettes de Hyksos montées sur des chevaux se battent avec des fantassins.

« C'est... la guerre » se dit Albert. Il réalise qu'il est sur un champ de bataille et que le danger peut surgir de partout, sous la forme d'une flèche perdue, d'une lance, d'une épée, ou d'un soldat qui le confond avec l'ennemi. Le Français se jette à terre et joue le mort pour mieux observer. Son constat est rapide : l'armée hyksos est défaite, taillée en pièces. Face aux rudes guerriers de l'Est, les soldats du pharaon, à pied et simplement protégés par de légers boucliers de bois, se promènent tels des loups au milieu d'une bergerie.

Un guerrier hyksos tombe de cheval à quelques mètres du jeune aventurier. Il ne semble pas touché, mais il tousse, tremble. Le soldat tente de se relever, mais ses jambes ne le portent plus. Il s'écroule et trépasse.

« Mon intuition était la bonne ! exulte Albert. Ce ne sont pas les Égyptiens qui battent les Hyksos, c'est moi ! » Il repense à l'homme qui l'avait frappé. Quand le Français l'avait revu juste avant de s'évanouir, les yeux de celui-ci étaient fiévreux et il toussait. « Je l'ai contaminé avec ma grippe et il a propagé le virus dans le reste du camp. Puis les messagers l'ont passé à tout le monde. Les Hyksos sont de valeureux guerriers, mais ils ont été foudroyés par un microbe ! Leur système immunitaire n'était pas préparé à l'invasion de ma grippe ! »

Malgré son excitation, Albert reste prudemment allongé à terre. Petit à petit, le fracas des armes se fait plus ténu, la poussière retombe au sol. S'élève alors le triste chant des blessés, une complainte de gémissements et de cris de souffrance. « Dans l'Histoire, si je ne me trompe pas sur l'époque dans laquelle je suis, les Hyksos ont envahi l'Égypte. Ils l'ont dominée pendant près de deux cent cinquante ans. Or là, l'invasion n'a pas lieu puisque les Égyptiens ne sont pas vaincus. Les Hyksos ne gouverneront pas l'Égypte. » Albert ferme les yeux. Il a le vertige : « Mon Dieu, mon microbe change le cours de l'Histoire ! »

Il ne sait pas si cela peut avoir des conséquences sur le futur. En fait, il ne sait même pas s'il est en train de rêver ou non. Sa fatigue le rattrape subitement. Il ne parvient pas à se relever. Il voit un soldat du pharaon venir à lui l'air méfiant. Albert voudrait le prévenir. Il est peut-être encore contagieux et il ne tient pas à décimer les Égyptiens comme il l'a fait avec l'armée asiatique. Au moment où il va sombrer dans l'inconscience, le soldat l'empoigne brusquement, comme s'il ne pesait pas plus qu'un brin de paille.

L'homme du futur

« Au moins, j'ai de la chance, pense Albert. Les Égyptiens de cette époque n'exécutaient pas leurs prisonniers. Ils les faisaient juste esclaves. » Il essaie d'engager la conversation avec le garde. Prenant son ton le plus amène et le plus poli, il lui déclare :

– Qu'Amon vous protège et vous donne la victoire… Bonjour, euh, je ne vais pas m'échapper. En réalité, j'ai très faim et très soif. Je ne suis pas hyksos. Pourrais-je rencontrer l'un de vos supérieurs ?

J'étais prisonnier des Hyksos et je me suis libéré ou on m'a libéré, je ne sais plus. Je suis un ami, pas un ennemi. Comprenez-vous ce que je dis ? Je ne suis pas égyptien, mais français, et je viens de très loin…

Le soldat ne répond pas et son air sévère n'encourage guère la sympathie. Mais il ne ligote pas Albert. Celui-ci poursuit alors son discours :

– Je ne voudrais pas être regroupé avec les Hyksos, vous saisissez ? Mon épouse s'appelle Magali et je suis tombé dans une faille temporelle. Vous me croyez, n'est-ce pas ?

Le regard du garde est aussi expressif que le dard d'un scorpion du désert. Lorsque tous deux arrivent au camp, le militaire conduit son étrange prisonnier non pas dans la file des Hyksos, mais devant les quartiers du chef de l'armée égyptienne. Albert l'entend discuter avec un officier.

– Chef, j'ai une sorte de fou qui affirme venir du futur. Apparemment ce n'est pas un Hyksos. Il parle égyptien, la langue des prêtres. Je fais quoi ?

Le gradé jette un coup d'œil à Albert.

Trois jours plus tard, le Français a été interrogé par une dizaine d'officiers. Son cas est jugé intéressant. Des médecins l'ont ausculté et lui confirment que l'épidémie de grippe s'est cantonnée aux Hyksos. Les Égyptiens semblent croire l'histoire de l'étranger. Ses vêtements du XXIe siècle, les quelques objets qu'il porte sur lui – un portefeuille avec pièces de monnaie, billets, cartes de crédit et

de téléphone, une photo de Magali, un couteau suisse, des chewing-gums, des médicaments contre le rhume, une montre de précision, etc. – imposent même le respect par leur bizarrerie.

Dans les rangs de l'armée, les rumeurs vont bon train : un homme, envoyé par Amon, est venu du futur pour sauver le peuple égyptien. Et lorsque les deux prisonniers qui partageaient le même pieu qu'Albert le reconnaissent et témoignent de la cruauté des Asiatiques à son égard, le statut du Français s'améliore encore. Plus aucune surveillance, une tente personnelle, des serviteurs, à boire et à manger à volonté. Albert croit rêver, mais le plus étonnant reste à venir. Car sur le chemin du retour vers Thèbes, on fait monter le « héros » sur un char hyksos.

L'arrivée du Français par la grande porte de Thèbes est triomphale. Trente jeunes prêtresses d'Amon, toutes de blanc vêtues, tractent le char, pendant qu'un gigantesque Nubien, debout derrière lui, le protège du soleil grâce à un somptueux parasol sur lequel est écrit en hiéroglyphes : *Honneur à Al-Perth, l'envoyé d'Amon qui a mené l'Égypte à la victoire.* Et la foule qui borde l'avenue aux temples imposants répète cette phrase en chantant.

« Al-Perth, Al-Perth ! » crie-t-on de toutes parts. Albert est très étonné de constater que l'émotion générale est à son comble, que l'affection du peuple est réellement sincère. Il rit, pleure, mais pour remercier les Égyptiens de tant de reconnaissance, il ne peut rien faire d'autre que les saluer d'un geste de la main.

Finalement, la procession entre dans la cour d'un palais et les portes se referment avec fracas. Les prêtresses entourent Albert, épuisé, et le mènent au bain. Deux heures après, le vénéré personnage baigné, lavé, massé et parfumé est allongé sur un lit. Une femme de toute beauté s'approche alors de lui, comme pour le border.

– Je m'appelle Neterit. Je suis la doyenne des prêtresses. Je vous ai préparé la boisson de l'équilibre. La boirez-vous ?

– Bien sûr, tout ce que vous voulez ! répond-il avec un large sourire.

Il fait la grimace car le breuvage doux-amer lui brûle légèrement la gorge. Alors que le sommeil s'empare de lui, il entend la femme murmurer d'étranges incantations. Elle implore sa bénédiction, à lui, le Français, considéré ici comme un dieu venu du futur. Un peu gêné, il veut demander à Neterit de se relever lorsque la potion produit enfin son effet : il s'endort comme une masse.

Quand il se réveille, il surprend le regard attendri de la prêtresse qui l'a apparemment veillé pendant son somme. Neterit frappe dans ses mains et les servantes accourent.

– Combien de temps ai-je dormi ?

– Deux jours entiers, Al-Perth le Victorieux...

Deux jours ? Albert a l'impression que son sommeil a duré davantage. Neterit se retire, et dans ses yeux brille une étrange lueur. Tandis qu'il s'habille, un groupe d'officiers et de soldats apparaît. Albert craint le pire, mais les militaires sont souriants et respectueux.

– Le pharaon Amnénémès IV prie l'envoyé d'Amon, Al-Perth le Victorieux, de se rendre au palais, rapporte l'un d'eux en s'inclinant.

Albert éclate de rire, c'est plus fort que lui. Voilà qu'on lui propose maintenant de rencontrer un pharaon !

Un prêtre avisé

Amnénémès IV est un homme d'une vingtaine d'années, l'air grave et sérieux. Albert s'attend à être accueilli une nouvelle fois comme un dieu. Mais le visage de Pharaon est sombre.

– Ô Al-Perth le Victorieux, dit le roi. Quelles sont tes intentions politiques ?

Albert est stupéfait. Il fixe les officiers autour de lui.

– Mais… mais… aucune, Pharaon !

C'est au tour d'Amnénémès IV d'être étonné.

– Comment ? Tu ne veux pas être premier prêtre d'Amon ? Ou chef des armées ?

– Moi, un informaticien spécialiste du système Linux, premier prêtre ? chef des armées ? Vous voulez rigoler ? Tout ce que je veux, c'est rentrer chez moi, dans le futur !

Le regard du roi reste suspicieux. Le souverain appelle l'un de ses sujets. Tous deux chuchotent sans quitter Albert des yeux. Finalement, le pharaon reprend la parole. Cette fois, sa voix semble plus sereine et c'est avec une certaine chaleur qu'il prononce :

– J'ai cru que tu comptais te servir de ta popularité pour... hum, obtenir quelque poste important dans notre royaume.

Albert nie de son sourire le plus franc. Il ne peut s'empêcher de penser que le pharaon a surtout eu peur pour sa place.

– Quant à retourner chez toi..., poursuit Amnénémès IV, nous ne maîtrisons pas la science du voyage dans le temps. Mais quelqu'un pourrait sans doute t'aider...

Le pharaon fait un geste vers l'un des officiers de garde. Albert entend le souverain demander que l'on amène un dénommé Nekbet-Su. Puis le roi convie Albert à partager son déjeuner.

Un peu plus tard, Albert, repu de mets incroyablement délicieux, reçoit la visite d'un vieil homme suivi de trois scribes.

– Je suis Nekbet-Su, prêtre de Ptah[1], dit-il en le saluant. Je vous en prie, homme du futur, racontez-moi votre histoire.

Le jeune Français se met à parler et toute l'as-

1. Ptah, l'un des plus anciens dieux égyptiens, a créé par sa parole et sa pensée toutes les formes du monde. Gainé dans sa robe, un sceptre à la main, il a une apparence humaine.

sistance se tait pour l'écouter. Les scribes consignent la narration sur des tablettes. À la fin, le vieillard intervient :

– Il y a peut-être une chance que vous retrouviez votre époque. Mais il faut absolument que vous me précisiez la date et l'heure exactes de l'événement. Et si possible, la phase de la lune pour éviter des calculs qui prendraient des années.

Albert se souvient. Il a regardé l'heure quelques secondes avant sa chute. Il cherche dans ses affaires. Sa montre est là, arrêtée à 11 heures 35 minutes 26 secondes le 17 septembre 2001, jour de la nouvelle lune.

– Le cinq du Kojac, pas de Lune ! crie Albert tout excité, en montrant l'heure à Nekbet-Su sur la clepsydre du patio.

Le prêtre est impressionné. Cet homme a fait un saut de plus de trois mille sept cents ans et se rappelle de l'heure, du jour et de la phase lunaire ? Après tout, et malgré ce qu'il dit, c'est bien Amon qui l'envoie !

Nekbet-Su, aidé par les scribes, se plonge dans des calculs. Les sphères du boulier se déplacent sous ses vieux doigts à la vitesse de l'éclair. Puis il écrit sur une feuille de papyrus.

– Alors ? s'enquiert Albert.

– Nous pouvons tenter quelque chose. Dans vingt jours, la lune et les étoiles seront en phase avec l'instant de votre arrivée.

– Hein ?

– Je dois aussi vous confier que je ne sais absolument pas ce qu'il faut faire pour vous renvoyer chez vous. Je mise surtout sur les dieux qui, s'ils vous ont accordé leur bénédiction pour venir ici, feront le nécessaire pour que vous repartiez.

Albert reste prostré. Et si cela ne marchait pas, et s'il ne revoyait jamais Magali et sa famille… ? Que pensent-ils de sa disparition ? Combien de temps « réel » s'est-il écoulé « là-bas » ? Quels principes scientifiques peuvent rendre possible ce miracle ? Et si… Et si le vieux prêtre avait raison ? Et si les dieux y étaient pour quelque chose ? Il s'exclame soudain :

– La pyramide ! Il faut que je retourne à la pyramide, dans les marécages !

Nekbet-Su sourit :

– Évidemment ! Vous comptiez rentrer à pied ?

Retour dans le futur

Et le jour fixé arrive. Nekbet-Su a demandé la permission à Pharaon d'ouvrir le tombeau de son chat, le lieu par lequel le Français a surgi. Dans le secret le plus absolu – le peuple ne consentirait jamais au départ d'Al-Perth le Victorieux –, Nekbet-Su mène Albert à la pyramide de Péluse. Le voyage est accompli dans un palanquin à rideaux hermétiquement fermés. Albert est vêtu de ses vêtements du XXIe siècle. Le prêtre lui a recommandé de ne penser qu'à son époque et à son épouse.

Albert a le cœur serré. Il quitte ce beau pays,

cette fabuleuse période sans avoir eu vraiment le temps de les explorer, de comprendre ces gens si accueillants. Et puis il ne sait même pas si l'opération va réussir.

Un peu avant l'heure dite, Nekbet-Su fait ôter la pierre du sommet de la pyramide. Il tend un petit rouleau de papyrus à Albert.

– Lisez-le une fois que vous serez revenu chez vous. Pas avant.

Le jeune homme s'approche, les larmes aux yeux. Le prêtre a l'air ému lui aussi. Au moment où Albert va sauter dans l'ouverture – c'est le meilleur moyen qu'ils aient trouvé pour reproduire le miracle en sens inverse –, le vieil Égyptien lui touche le bras.

– Dites-moi vraiment Al-Perth, à votre époque, l'Égypte est-elle un pays important ? Se souvient-on de nous ? De notre pharaon ?

Le Français est ennuyé. Plusieurs fois, Amnénémès lui a posé la question et il n'a jamais voulu y répondre.

– Écoutez, Nekbet-Su…

À cet instant, le sol se dérobe sous ses pas. Albert n'essaie pas de se retenir. Il croise juste le regard implorant du prêtre. Puis c'est la chute dans l'obscurité…

Le nuage de poussière soulevé par son atterrissage l'asphyxie complètement. Albert éternue, tousse, pleure. Il commence à paniquer lorsque Van Birring, muni d'un masque de protection, se porte à son secours et le hisse vers le haut. Le voyageur entend l'archéologue lui parler mais il ne saisit pas un traître mot de ce qu'il raconte.

Ils sortent dans le soleil. Magali n'est pas là. Van Birring poursuit son monologue. Sa voix est tendue mais le ton est amical, rassuré. Il a l'air heureux de le revoir sain et sauf. Mais Albert se sent mal à l'aise : en quelle langue s'exprime Van Birring ?

– Vous vous moquez de moi, hein ? Je suis français comme vous et vous faites exprès de ne pas me comprendre.

L'archéologue le regarde, interloqué. Albert, perdant patience, crie :

– Bon, arrêtez votre farce, ce n'est pas drôle !

Van Birring se tourne vers le chef du chantier et lui parle dans son étrange langage. La lumière se fait alors dans l'esprit d'Albert. C'est de l'égyptien ancien et il ne l'a pas reconnu immédiatement ! Il éclate de rire et répond en employant la langue des pharaons.

– Excusez-moi, je suis un peu troublé. Mais je vais bien, je n'ai pas besoin d'ambulance.

L'archéologue est visiblement soulagé.

– Où est ma femme ? enchaîne Albert.

L'homme paraît étonné.

– Ben voyons… chez vous, à Alexandrie… rue Ramsès XXI.

Albert soupire. Van Birring a décidé de se moquer de lui. Son hôtel n'est pas à Alexandrie. Il n'y a jamais eu de Ramsès XXI et, par conséquent, aucune rue ne porte ce nom.

Réalisant tout à coup qu'il est revenu à son époque, il regarde l'heure. Sa montre fonctionne de nouveau : il est 11 h 36. Son voyage dans le temps, subjectivement de cinq semaines, n'a duré que les quelques secondes de sa chute.

Tout est pareil. Tout va bien… sauf que Van Birring parle égyptien et que Magali n'est pas là. « Pas bien grave quand on pense que j'ai fait un aller et retour de trois mille ans et quelques », songe Albert. Il veut le dire à Van Birring mais celui-ci le fixe de manière étrange. Ce n'est sans doute pas le moment de passer pour un fou.

– Vous voulez bien m'appeler un taxi, je suis fatigué… lance-t-il en français.

L'archéologue se taisant, Albert repose sa question en égyptien. Van Birring s'exécute.

Albert trouve que la voiture a un aspect bizarre. Il ne reconnaît pas le modèle. Le chauffeur lui demande sa destination. Albert, mal à l'aise, indique machinalement la rue Ramsès XXI. Il cherche à voir la marque du véhicule. Sur le volant, un hiéroglyphe : *Seth*[2]. Il hausse les épaules pendant que la voiture démarre, sans bruit. Le Français jette un œil dehors. Un chat se tient sur le bord de la route, puis s'aventure sur la chaussée. Albert frémit.

---

2. Dieu du désert et des pays étrangers. Il est l'assassin d'Osiris (à l'origine, ce dernier était dieu de la fertilité, puis après sa mort, il devint seigneur du monde souterrain et protecteur des morts).

– Crétin de chat, tu vas te faire écraser ! grogne-t-il.

Mais le conducteur freine brusquement. Dans le rétroviseur, il adresse un regard désapprobateur à Albert. Les voitures qui arrivent en face s'arrêtent aussi, et le petit félin, indifférent, traverse la route la tête haute. Le chauffeur redémarre. Albert a enfin trouvé la cause de son malaise. Il est bien revenu à son époque, mais le monde n'est plus celui dans lequel il vivait.

La voiture croise des panneaux publicitaires écrits en hiéroglyphes : on y vante l'ordinateur Néfertiti et le web Nout. Sur cette même route, à l'aller, Albert se souvient parfaitement de s'être plaint à Magali de ces affiches glorifiant les vertus des sodas et des fast-foods américains. Le monde a changé. Voilà qui expliquerait pourquoi Van Birring ne comprend pas le français et… le reste !

Une fois en ville, Albert remarque qu'Alexandrie n'est plus la ville poussiéreuse et grouillante qu'il a traversée au début de son voyage, mais une cité-jardin noyée dans la verdure. De loin, on voit se détacher contre l'azur de la mer un monumental phare. À la place des mosquées trônent de gigantesques temples égyptiens en béton. Tout est familier et tout est différent.

Le véhicule le dépose devant une superbe maison. Albert voudrait dire que ce n'est pas l'hôtel où il est descendu avec sa femme, mais il se retient. Il commence à se faire une raison.

– Combien vous dois-je ?

Le conducteur sourit, aux anges.

– C'est un honneur de transporter Al-Perth MDCC[3] !

– Comment ? Vous me connaissez ? Comment m'avez-vous appelé ?

L'homme rit de plus belle.

– Tout le monde vous connaît, vous passez souvent à l'osirisvision…

3. 1 700 en chiffres romains.

Albert sonne à la porte. Un serviteur lui ouvre en souriant.

– Madame a été prévenue que vous avez eu un léger malaise.

Puis il s'éclipse. Figé, Albert ne sait où aller. Dans un état de confusion totale, il avance, traverse des grandes pièces et parvient dans un patio ensoleillé. Magali se précipite dans ses bras et le couvre de baisers.

– Pauvre chéri ! Je m'en veux de ne pas t'avoir accompagné ce matin. Si j'avais été là, j'aurais fait attention à toi ! J'ai annulé ton discours à l'osirisvision. Tu as besoin de repos.

Il ne tente même pas de comprendre ni de raconter à sa femme qu'il est français, qu'il a voyagé dans le temps et qu'il vient de revenir dans un présent qui ne lui appartient pas. Il lui confirme juste qu'il a en effet besoin de se reposer. Albert se retire dans sa chambre, ouvre les tiroirs, prend et lit son passeport : il est en hiéroglyphes. La photo est la sienne, mais son nom a été modifié. C'est marqué Al-Perth MDCC. Profession : Historien.

Dans un coin de la pièce, un temple d'Osiris miniature. Il en ouvre la porte, c'est une télévision. Toute l'après-midi, il reste planté devant l'écran. Bouche bée, il prend la mesure des bouleversements.

Le monde entier est égyptien, l'égyptien ancien est devenu la langue universelle à la place de l'anglais. Le leader du monde, ce ne sont pas les États-Unis mais c'est l'Égypte ! Toute l'histoire, depuis

1785 avant Jésus-Christ jusqu'à 2001, a changé. Sur le clavier de son ordinateur portable, un Néfertiti 1 200 mégahertz, les hiéroglyphes ont remplacé les lettres. Il consulte sa montre. Les chiffres arabes ne sont plus les mêmes. Mais pourquoi ? Et pourquoi s'appelle-t-il Al-Perth MDCC ? Pourquoi ? La défaite des Hyksos ne suffit pas à expliquer tout cela ! Il décide de se coucher, il y réfléchira à tête reposée.

Au moment où il vide ses poches, un morceau de papyrus finement enroulé tombe au sol. C'est celui que Nekbet-Su lui a donné avant qu'il ne disparaisse dans la pyramide. Albert le ramasse et lit :

Mon père, le prêtre d'Amon, m'a ordonné d'avoir un héritier de toi, le grand Al-Perth le Victorieux. C'est pourquoi je t'ai donné la boisson de l'équilibre, celle qui fait hommes et femmes égaux. Tu ne l'as pas refusée. Je ne sais pas où tu seras quand tu liras ce message, mais je veux que tu saches que ton enfant portera ton nom.

Neterit.

– Oh, mon Dieu !

Albert est sidéré. Il vacille sous le choc de la révélation. Son rhume a modifié le cours de l'Histoire. Il est devenu l'ancêtre de lui-même. Son passé est perdu quelque part dans le temps, son présent n'est plus le sien.

Quant à son futur…

Biographies

La nuit du sacrilège

de Barbara Castello et Pascal Deloche
illustré par Dominique Rousseau

Barbara Castello et Pascal Deloche

Globe-trotters des mots et des images, ils parcourent le monde depuis plus de quinze ans et publient leurs récits en France et en Europe. Journaliste pour la première, reporter photographe pour le second, ils écrivent à quatre mains la plupart de leurs textes. Pascal Deloche a créé et écrit la série *Médecins de l'impossible* chez Hachette Jeunesse (Bibliothèque verte).

Dominique Rousseau

Il a étudié le cinéma, joué dans des groupes de jazz et interprété différents rôles au théâtre. Il fait ses débuts dans la bande dessinée en 1978 dans *BD hebdo* puis *Charlie Mensuel*. Dessinateur de *Condor* chez Dargaud, il collabore régulièrement à la revue *Je Bouquine*. Il anime des ateliers et des stages pour enfants et adultes autour de la bande dessinée.

Biographies

La Pyramide s'amuse

d'Emmanuel Viau
illustré par Bruno Bazile

Emmanuel Viau

Il se passionne pour la science-fiction, les jeux et la musique. Quand il ne lit pas, il est journaliste à *Je Bouquine* et écrit des histoires pour la jeunesse. Son rêve serait de jouer en concert sur la Lune, sur Mars ou même en dehors du système solaire…

Bruno Bazile

Il dessine pour la publicité, la presse enfantine et illustre des romans jusqu'à ce que Dargaud le fasse entrer dans la bande dessinée avec la série *Forell et fils* (scénario de Michel Plessix). Son dessin, entre ligne claire et réalisme, est d'une lisibilité frappante.

Biographies

Cléopâtre, la reine-pharaon

de Marie Bertherat
illustré par Marc Bourgne

Marie Bertherat

Journaliste pour différents magazines, elle se consacre maintenant à l'écriture de livres et de cédéroms publiés aux éditions du Seuil, Bayard et Atlas.

Marc Bourgne

Après avoir enseigné l'histoire et la géographie, il se lance dans la bande dessinée avec *Être libre*. En 1998, les Éditions Dargaud lui confient la reprise de l'une de leurs plus mythiques séries, *Barbe Rouge*, sur un scénario de Christian Perrissin. Il prépare en outre une série policière pour Glénat.

Biographies

Un seul soleil

d'Émile Desfeux
illustré par André Benn

Émile Desfeux

Il a pratiqué la plupart des métiers, d'assistant universitaire à marin, en passant par la fabrication de zython (bière des pharaons à base d'orge germée)... Il s'est ensuite essayé au métier d'écrivain, et sous différents pseudonymes, a œuvré pour la télévision, la radio, la presse, la littérature et lui-même.

André Benn

Dessinateur et scénariste, il illustre, en collaboration avec Vicq, *Les Aventures de Tom Applepie*. Il crée avec Desberg le personnage de Mic Mac Adam. Entre 1987 et 1990, il adapte un polar de Pierre Siniac et réalise le roman-BD, *Elmer et moi*. Entre 1990 et 1998, il reçoit de nombreux prix pour ses travaux et initie une nouvelle série, *Woogee*.

Biographies

Celui-Qui-Ne-Peut-Mourir

de Patrick Cappelli
illustré par Michel Blanc-Dumont

Patrick Cappelli

Journaliste passionné par les voyages en général, et l'Asie en particulier, il a fait avec *Mystères à Mystra* et *La Course* (collection « Z'azimut » chez Fleurus) ses premières armes dans l'univers de la littérature jeunesse.

Michel Blanc-Dumont

Après de brillantes études aux Arts appliqués, il rejoint l'illustre atelier paternel de restauration d'œuvres d'art et publie ses premières BD dans *Phenix* et *Jeunes Années*. Alliant son goût pour l'équitation et pour l'histoire de l'Ouest américain, il signe, avec Laurence Harlé, la série *Jonathan Cartland* (Dargaud). En 1990, il publie *Colby* (scénario de Greg), puis il reprend *La Jeunesse de Blueberry* avec Corteggiani.

Biographies

Et si...

d'Emmanuel Viau et Émile Desfeux
illustré par Christophe Quet

Emmanuel Viau et Émile Desfeux

Le premier se passionne pour la science-fiction, les jeux et la musique. Quand il ne lit pas, il est journaliste à *Je Bouquine* et écrit des histoires pour la jeunesse. Le deuxième, après avoir pratiqué plusieurs professions, s'essaie maintenant au métier d'écrivain. Sous différents pseudonymes, il œuvre pour les médias, la littérature et lui-même.

Christophe Quet

Influencé par les comics américains et les mangas japonais, il envoie un jour ses illustrations à « Casius Belli », s'attirant aussitôt les louanges des connaisseurs. Il publie alors la série *Travis*, ou les mésaventures d'un routier de l'espace en 2050 (scénario de Fred Duval). Entre ses sorties au cinéma, ses lectures de romans policiers et de SF, il travaille aussi pour *Sciences et Vie Junior*.